O CÉREBRO DESCONHECIDO

Helion Póvoa

O CÉREBRO DESCONHECIDO

Como o sistema digestivo afeta nossas emoções, regula nossa imunidade e funciona como um órgão inteligente

33ª reimpressão

Redação final
Lucia Seixas

Colaboradores
Juarez Callegaro
Luciana Ayer
Claudia Calixto

Capa
Folio Design/ Cristiane Barreto e Flávia Caesar

Foto do autor
Mickele Petruccelli/ Ag. Fotoin Cena

Ilustrações
Pedro Appel

Revisão
Neusa Peçanha
Umberto de Figueiredo

Por questões éticas, os nomes de pacientes utilizados neste livro não são verdadeiros.

CIP-Brasil. Catalogação na fonte
Sindicato Nacional dos Editores de Livros, RJ

P879c
Póvoa, Helion
O cérebro desconhecido : Como o sistema digestivo afeta nossas emoções, regula nossa imunidade e funciona como um órgão inteligente / Helion Póvoa. – 1ª ed. – Rio de Janeiro : Objetiva, 2002.

ISBN 978-85-7302-467-8

1. Aparelho digestivo – Aspectos psicossomáticos I. Título.

CDD: 611.3

EDITORA SCHWARCZ S.A.
Praça Floriano, 19, sala 3001 — Cinelândia
20031-050 — Rio de Janeiro — RJ
Telefone: (21) 3993-7510
www.companhiadasletras.com.br
www.blogdacompanhia.com.br
facebook.com/editoraobjetiva
instagram.com/editora_objetiva
twitter.com/edobjetiva

Sumário

Parte I

Parte II

Parte III

PARTE I

1

APRESENTAÇÃO

O intestino repousou durante muitos anos no esquecimento. Esquecido pelas pessoas, que dele só se lembravam quando comiam algo que não lhes fazia bem, e pela ciência, que sempre considerou os trâmites intestinais como um departamento secundário dentro da medicina. Até bem pouco tempo, era suficiente para os cientistas conhecer sobre este órgão apenas sua função básica de absorção, em que os nutrientes dos alimentos são enviados para o organismo, depois de devidamente digeridos.

Hoje a situação é bem diferente. Depois de reconhecido como um "órgão inteligente" por sua capacidade de selecionar entre o que comemos o que nos é ou não útil, o intestino foi recentemente proclamado o "segundo cérebro" por ser o único órgão do corpo humano capaz de executar funções independentemente do sistema nervoso central. Agora, está cada vez mais evidente que o sistema gastrintestinal está no âmago dos processos que garantem a vida saudável.

As pesquisas que deram início ao amplo conhecimento que se tem hoje sobre o intestino são bem antigas. Elas foram realizadas por volta de 1900 por dois cientistas ingleses, que já naquela época perceberam no órgão suas incríveis propriedades. Mas por causa de alguns descaminhos, que também acontecem na história da ciência, estes conhecimentos acabaram esquecidos.

Até que o avanço tecnológico das últimas décadas permitiu novas leituras sobre a função gastrintestinal, revelando dados que levaram a ciência a retomar as pesquisas do passado. Hoje, os mecanismos e trocas químicas que garantem o seu funcionamento são fundamentais nas pesquisas das mais diversas doenças.

Está claro para muitos cientistas que a simples felicidade depende fundamentalmente do que se passa no sistema gastrintestinal, por conta das condições que cada organismo tem de secretar a serotonina, o neurotransmissor responsável pela alegria e bem-estar. Afinal, ele não é encontrado apenas no cérebro, como se imaginava, mas também no intestino.

A sabedoria oriental confirma tal pressuposto. Os chineses chamam de "cérebro visceral" o chacra solar, situado pouco acima do umbigo. Segundo eles, esse chacra comanda as emoções.

Fenômenos como o aumento assustador dos casos de alergias, diabetes e dos males que mais matam no mundo — o câncer e as doenças coronarianas — também podem ser explicados como perturbações na dinâmica das enzimas, hormônios e neurotransmissores que atuam no sistema gastrintestinal.

É por esta razão, inclusive, que a absorção dos alimentos vem sendo considerada um novo paradigma para a saúde. Essa fantástica função, quando exercida de forma insatisfatória, pode desencadear uma série de distúrbios que lentamente vão provocar reações em cascata pelo organismo.

O que se verifica é que a digestão e a absorção dos alimentos estão sendo alvos de uma enorme curiosidade científica, o que é muito positivo. Parece que estamos apenas no início de uma longa viagem exploratória por estas funções tão especiais e, ao mesmo tempo, tão negligenciadas pela cultura ocidental nos últimos tempos.

Por isso este livro. Acredito que toda a comunidade médica precisa conhecer o que vem sendo descoberto a respeito do sistema gastrintestinal, pois em qualquer área de atuação dentro da medicina esse conhecimento será de grande valor. E para aqueles que não são médicos, mas se interessam pelas questões de saúde, a leitura deste livro também será muito válida e por essa razão ele foi escrito numa linguagem compreensível a todos.

Como em meu primeiro livro para leigos, *A chave da longevidade*, quero aqui proporcionar às pessoas mais ferramentas para lidar com a própria saúde, conhecendo um pouco os fantásticos mecanismos que garantem a nossa vida.

2

O Resgate de um Órgão-chave

Curiosamente, na nossa cultura, apenas os bebês têm seus intestinos cuidados com carinho e atenção, certamente por serem as fezes o primeiro canal de contato das mães com a saúde dos seus filhos. É controlando a cor, freqüência ou consistência das fezes dos bebês que as mulheres criam os primeiros parâmetros de alimentação e saúde para os pequenos seres de quem deverão cuidar.

Mas esse cuidado não dura muito tempo. Para grande parte das crianças, o fim da primeira infância é o fim da era dourada do intestino. Depois, o órgão sai da ribalta e outras funções orgânicas, bem mais cativantes, tomam o centro das atenções maternas.

É comum, para todos que vivem no Ocidente, entrar na adolescência e depois na vida adulta com pouca ou nenhuma preocupação com este assunto. Há tanto o que fazer hoje em dia que pouco tempo resta para maiores atenções com a alimentação — tampouco com as conexões entre estresse e aparelho digestivo. Dessa forma chegamos ao novo milênio com recordes de queixas gastrintestinais nos consultórios médicos.

A verdade é que quase ninguém se interessa pelo que acontece com os alimentos que ingere depois que se levanta da mesa. Mas esse é um equívoco muito grande na nossa cultura, pois apenas o fato de entender o processamento deles no organismo já seria útil para que tivéssemos um controle maior sobre a saúde. Além disso, é fantástico perceber como são perfeitos os mecanismos que garantem a digestão e a absorção de tudo o que comemos.

Ainda antes da primeira garfada, o cheiro e o aspecto agradáveis da comida enviam ao cérebro mensagens através dos neurotransmissores, que são as substâncias responsáveis pela transmissão dos nossos estímulos nervosos. Do cérebro, esses neurotransmissores são reencaminhados para o resto do organismo, despertando-o para a digestão. A boca então se enche de saliva, e o estômago começa a trabalhar, preparando o ambiente para a chegada do alimento.

Depois de muito bem trabalhado pelo suco gástrico contido no estômago, o bolo alimentar segue seu caminho rumo ao duodeno, a primeira das três partes do intestino delgado. Mas antes deverá passar por um anel muscular que regula a saída dos alimentos do estômago: à medida que vão entrando no duodeno, os pedaços de alimentos provocam uma gradual inibição da secreção gástrica, para que o estômago pare de trabalhar.

No duodeno, o bolo alimentar também encontra o ambiente preparado. Minutos antes, sua passagem pelo es-

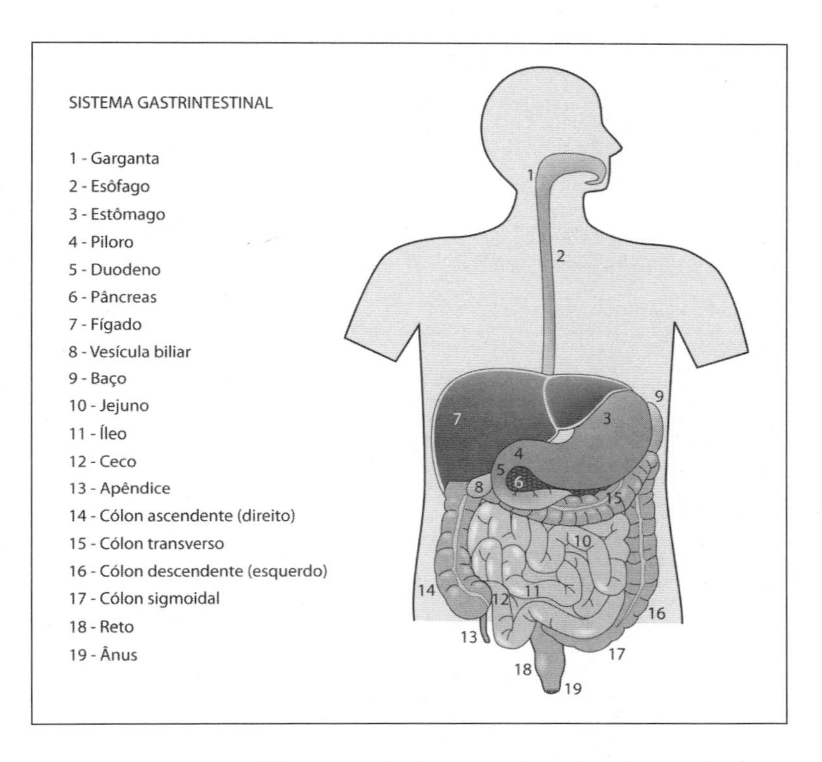

tômago acionou a liberação de hormônios ativadores do pâncreas e da vesícula biliar, cujas secreções serão jorradas dentro desta parte inicial do intestino para ajudá-lo a exercer sua principal função, que é finalizar a digestão dos alimentos. É no jejuno e no íleo, as partes finais do intestino, que acontece finalmente a absorção dos nutrientes, que após passarem pelo "controle de qualidade" executado pelo fígado seguirão pela corrente sangüínea para todo o corpo.

Como se percebe, é enorme a responsabilidade do intestino sobre a nutrição do organismo, pois é a ele que cabe promover as inúmeras trocas e processos químicos da absorção, facilitando a entrada dos nutrientes valiosos, bloqueando a passagem dos elementos nocivos e mediando a entrada e saída de substâncias de "trânsito livre", como a água.

É claro que tantas e tamanhas atribuições não poderiam ser exercidas por um tecido qualquer e por isso a mucosa intestinal é especialíssima. Ela é, na verdade, um entremeado de vilosidades, dobras minúsculas, semelhantes a pequeníssimos dedos. As vilosidades maiores podem ser vistas a olho nu mas, quando observadas em um microscópio comum, revelam novas vilosidades, que num microscópio eletrônico percebe-se serem compostas de dobras ainda menores.

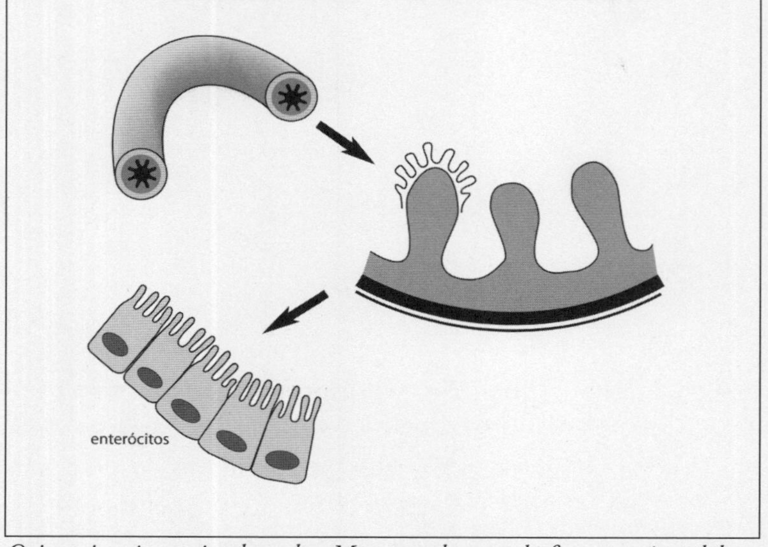

O intestino é um simples tubo. Mas, por dentro, ele forma muitas dobras, chamadas vilosidades. As vilosidades aumentam bastante sua capacidade de absorção. E, microscopicamente, ele forma ainda mais dobras, chamadas microvilosidades.

O intestino humano mede sete metros, o que já é surpreendente, mas, se fosse possível estendê-lo completamente, sua área poderia cobrir uma quadra de tênis, de tão extensa. Isso se deve, é claro, às inúmeras e microscópicas dobras que a mucosa intestinal possui para executar o fantástico processo de absorção.

Nada disso, entretanto, foi levado em conta há cerca de 20 anos, quando o intestino foi objeto de um "revolucionário" método de emagrecimento, que consistia em cortar parte dele. O raciocínio correspondia ao limitado conhecimento que se tinha sobre o papel do intestino naquela época: se era ele o órgão responsável pela absorção, a cirurgia faria diminuir a quantidade de nutrientes a serem recebidos pelo organismo. O emagrecimento seria então líquido e certo.

É claro que essas cirurgias foram um completo desastre. Muitas pessoas que na época se submeteram a elas morreram algum tempo depois de causas desconhecidas. Mas esses pacientes, involuntariamente, forneceram aos cientistas pistas valiosas, alertando-os de que o intestino era ainda muito mais do que um órgão de absorção.

Os dados conhecidos hoje sobre o sistema gastrintestinal são impressionantes. Nada menos que 80% do nosso potencial de imunidade se concentra na mucosa do intestino, que é ainda um grande produtor de hormônio de crescimento, o maior trunfo moderno do combate aos sintomas do envelhecimento. A acetilcolina, neurotransmissor presente no cérebro e de grande importância na memória e no pensamento, também é secretada em grande quantidade nos nervos que recobrem o intestino.

Quanto à serotonina, pesquisas recentes demonstram que este neurotransmissor está intimamente relacionado com a digestão e a absorção. Isso porque sua secreção depende fundamentalmente da boa absorção pelo intestino de alguns minerais, especialmente o zinco, que vão garantir a síntese das substâncias precursoras da serotonina.

Enquanto os tratamentos clássicos da depressão procuram fazer, por meios artificiais, que a serotonina atue por mais tempo no cérebro dos deprimidos, terapias modernas preferem outro caminho: garantir que o organismo recupere a sua capacidade de fabricar a serotonina, conduzindo novamente o indivíduo ao bem-estar e à felicidade. Este caminho passa, certamente, pela integridade do sistema gastrintestinal.

Acredita-se hoje que a depressão é uma bola de neve de deficiências nutricionais, que vão impedindo a fabricação de serotonina, noradrenalina, dopamina e demais neurotransmissores que são responsáveis pelo nosso bom humor. É possível que muitas pessoas que hoje vivem à base de antidepressivos necessitem na verdade de uma profunda investigação sobre suas condições de digestão e absorção.

Fala-se muito em depressão, pois os casos são cada vez mais freqüentes, especialmente entre as mulheres. Já foi comprovado que elas têm três vezes mais chances de sofrer da doença do que os homens. E já é sabido que a depressão na vida adulta é um facilitador para doenças neurodegenerativas, como o mal de Alzheimer, cujos números também são crescentes.

Entretanto, precisamos de serotonina não apenas para evitar a depressão, mas também para encontrar soluções para os nossos problemas, selecionar as melhores amizades, manter um trabalho prazeroso e enxergar na vida os seus aspectos mais positivos. Isso é a inteligência emocional, que é na realidade o maior fator preventivo da depressão.

Todas essas novidades que nos têm chegado a respeito da função gastrintestinal são muito animadoras, mas há outras ainda mais interessantes.

Nos maiores centros de pesquisa médica do mundo, os cientistas estão atualmente envolvidos em estudos sobre um rol de substâncias que compõem o que chamaram de eixo cérebro-intestinal, um imenso e promissor campo de pesquisa para a ciência médica que certamente elucidará muitas dúvidas sobre a saúde humana.

O que move esses cientistas é descobrir a razão pela qual hormônios que antes acreditava-se serem secretados apenas no cérebro foram identificados no intestino e, da mesma forma, alguns hormônios gastrintestinais estão sendo surpreendentemente encontrados no cérebro. Essas pesquisas, que avançam numa velocidade muito grande, já envolvem distúrbios como obesidade, alterações de humor, anorexia, enxaqueca, psicoses, problemas de imunidade, doenças de auto-agressão e muitos outros.

Por isso o intestino cresceu em importância na ciência e já é considerado a maior glândula endócrina que temos, seja pela quantidade de hormônios que secreta ou pela importância deles. Ao contrário de antigamente, quando se pensava que a atuação dos hormônios secretados pelo intestino se restringia apenas aos órgãos auxiliares da digestão, sabe-se agora que todo o organismo é vulnerável a eles.

É interessante notar também que o próprio desenvolvimento científico, com sua ênfase nos processos curativos em detrimento das práticas preventivas, fez com que certas doenças acabassem dissociadas do seu órgão gerador, principalmente quando este era o intestino. O remédio, pronto na farmácia, acabou tomando o lugar de práticas mais simples de cura, como mudar a dieta alimentar.

Hoje, em todas as classes sociais, não é difícil encontrar pessoas que praticamente não comem frutas, legumes ou verduras. É grande o sacrifício que essa nova lógica alimentar impõe para a função gastrintestinal. A adaptação ao modelo industrializado, pobre em nutrientes e rico em substâncias artificiais, pode ter rompido em muitas pessoas mecanismos importantes da digestão e da absorção. A doença é o resultado desse rompimento.

Felizmente, não estamos em um beco sem saída. Como num ciclo, tudo que a ciência vem revelando sobre o sistema gastrintestinal acabará por nos levar de volta aos bons hábitos do passado, quando as pessoas mantinham uma relação mais íntima com seus intestinos, reservavam a ele mais tempo de suas vidas. Enfim, respeitavam as necessidades do próprio corpo.

Acredito que em breve nossa medicina se verá obrigada a repensar muitos dos seus conceitos, aproximando-se finalmente da sabedoria oriental, que sempre afirmou estar no intestino a origem de todas as doenças. Somos o que comemos, e a nossa própria aparência reflete o tipo de dieta que adotamos — a aparência da nossa pele é um bom termômetro. É a obesidade, porém, o sinal mais claro de que há algo errado na forma como lidamos com as questões gastrintestinais.

Os modernos estudos sobre este complexo sistema serão certamente a grande fonte de conhecimentos de onde poderemos descobrir como viver com mais saúde, mais alegria e, principalmente, mais interação entre os aspectos físicos e emocionais da nossa existência. Quando fizermos isso, estaremos prontos para usufruir o melhor da vida. Afinal, não são as doenças — que, como acreditam os orientais, começam no intestino — os maiores obstáculos para a felicidade?

3

As Novas Formas de Pensar a Saúde

Não se questiona mais na medicina o poder deletério dos radicais livres. Ainda que sejam substâncias naturais, produzidas continuamente no organismo a partir do oxigênio que respiramos, eles podem causar graves danos quando em excesso.

A importância dos radicais livres para o sistema gastrintestinal é crucial, pois o intestino é riquíssimo neles. Na verdade, é lá onde acontece a maior formação desses radicais em todo o corpo. Se compararmos um grama de fezes com um grama de tecido cardíaco isquemiado, onde é muito grande a formação dessas substâncias, veremos que o índice nas fezes é dez vezes maior.

Para entendermos como os radicais livres agem no intestino, é preciso conhecer algumas de suas características. Ao chegar às células do organismo, o oxigênio vai para as mitocôndrias e lá sofre uma complexa série de reações químicas — cujo produto é a formação de energia — até ser transformado na água, que forma cerca de 70% do nosso corpo. Entretanto, 2% do oxigênio se transforma em radicais livres, substâncias capazes de interferir no equilíbrio das moléculas.

Quimicamente, sempre que um átomo perde um elétron se transforma num radical livre. A molécula, antes neutra, se torna reativa e começa a buscar elétrons em outras moléculas, que se tornam radicais livres também. O radical livre pode readquirir seu elétron perdido, mas a molécula não é mais a mesma, perdendo sua forma e função originais. Quando descontrolada, essa cadeia de formação de radicais livres provoca muitos problemas.

A descoberta desses radicais, que deu origem à utilização das substâncias antioxidantes para o tratamento e prevenção das doenças, provocou uma séria reflexão sobre a saúde e revolucionou a medicina. Hoje sabemos que a origem de praticamente todos os distúrbios está no fato de que produzimos radicais livres demais em função dos maus hábitos alimentares e do estilo de vida que adotamos, mais estressante e cheio de agentes que aumentam a formação desses radicais.

Já está comprovado que comodidades como o ar-condicionado, o forno de microondas, o telefone celular, o cigarro e até as cabines pressurizadas dos aviões são capazes de aumentar a formação dos radicais livres no organismo. Por isso, vivemos em um estado de estresse oxidativo, que precisa ser combatido por substâncias antioxidantes.

Na verdade, até alimentos naturais, como a carne vermelha, podem se transformar em grandes geradores de radicais livres quando consumidos em excesso. A carne vermelha é rica em ferro, que, embora a princípio seja um mineral pouco absorvido, torna-se mais solubilizado em presença da bile, necessária para processar a gordura da carne. Com isso, o ferro passa a agir como uma substância pró-oxidante. É por isso que uma alimentação rica em carne vermelha e pobre em alimentos antioxidantes, como as verduras, legumes e frutas, aumenta a incidência de câncer e doenças coronarianas.

A rigor, não deveríamos nos surpreender com o fato de termos uma quantidade tão grande de radicais livres no intestino, pois este é certamente o órgão mais vulnerável do organismo, permanentemente exposto aos alimentos que tanto podem ser saudáveis e antioxidantes como detonadores da formação excessiva dos perigosos radicais livres.

Em 1999, apresentei em um congresso médico em Nova Orleans um trabalho sobre este tema, que realizei num spa aqui no Brasil. Nesse trabalho, foram dosados os radicais livres nas fezes de um grupo de pessoas antes que elas começassem a se alimentar com a comida do spa, livre de gordura animal. Durante uma semana, o grupo alimentou-se basicamente de legumes, verduras e frutas.

Tabela 1
Radicais livres nas fezes antes e após dieta de 7 dias em spa (Radicais livres/mcM/g fezes)

Média antes da dieta	Média após a dieta
16,14 ± 5,4	12,9 ± 4,2

Resultados referentes a estudo com 15 pessoas submetidas a uma dieta hipocalórica, sem proteína e gordura animal, rica em fibras (verduras, legumes e frutas), ausência de laticínios e gorduras monoinsaturadas de origem vegetal.

Antes que deixassem o spa, os participantes da pesquisa tiveram novamente seus radicais livres dosados nas fezes e os dados foram depois comparados com o primeiro resultado. Constatou-se uma redução estatisticamente significativa de radicais livres em todos eles.

A pesquisa que realizei e muitas outras que já foram feitas sobre o tema deixam claro que a ingestão de alimentos antioxidantes é capaz de reduzir os índices de radicais livres no intestino. Essa é uma das razões pelas quais os índices de câncer de cólon são mais baixos entre os vegetarianos.

Além do intestino, todos os órgãos do nosso corpo sofrem a ação dos radicais livres e por isso eles conquistaram uma importância enorme na medicina, como veremos nos próximos capítulos deste livro.

4

O Fator Permeabilidade

Antigamente, acreditava-se que todos os problemas intestinais tinham como causa as parasitoses. Fossem gases, dores, diarréias ou prisão de ventre, tudo era atribuído às giárdias, amebas e outros habitantes indesejados do intestino. Era o tempo em que ainda pouco se conhecia sobre as habilidades deste nosso fantástico órgão de absorção.

Sabemos agora que os parasitas não são as únicas ameaças que pairam sobre o intestino. Muito pelo contrário. Há, inclusive, fatores anteriores que podem facilitar no intestino a instalação de uma parasitose ou qualquer outro agente maléfico à saúde. Um deles diz respeito às condições da mucosa intestinal, que, afinal de contas, é onde acontece o fundamental mecanismo de seleção dos nutrientes que sustentam o organismo. Com a constatação de que nem sempre a absorção acontece da forma ideal, temos hoje o conceito da permeabilidade intestinal, ponto de partida para uma nova forma de pensar a saúde.

Por algumas razões já conhecidas, e por outras que talvez só conheçamos mais tarde, podem acontecer problemas na mucosa intestinal que afetam sua função absortiva. Constituída de um tecido semelhante ao subcutâneo, rico em substâncias como o colágeno, a mucosa do intestino se torna mais permeável quando suas células perdem o poder de adesão. É como um tecido que de repente se esgarça.

Menos coesa, a mucosa intestinal acaba por absorver não apenas as substâncias benéficas ao organismo, mas também aquelas que deveriam ser eliminadas ou que ainda não estavam devidamente processadas. É o que se chama de aumento da permeabilidade intestinal. As conseqüências de um intestino mais permeável são sérias e estão relacionadas a muitas doenças.

O uso prolongado de antibióticos, antiinflamatórios, pílula anticoncepcional e corticóides são alguns dos fatores capazes de provocar o aumento da permeabilidade intestinal, assim como as infecções intestinais e parasitoses. O mercúrio é outro agente que pode aumentar a permeabilidade do intestino. Mais uma causa importante do aumento da permeabilidade intestinal são as alergias alimentares, uma questão complexa, para a qual foi reservado um longo capítulo neste livro.

São inúmeras as substâncias que podem ser indevidamente absorvidas pelo intestino mais permeável: metais pesados, toxinas de bactérias patogênicas, alguns peptídeos etc. Todos podem definir abalos importantes na saúde, mas nosso organismo corre ainda um risco mais sério quando a permeabilidade intestinal é aumentada.

Como o intestino é o lugar do corpo onde existe maior produção de radicais livres, esses radicais também estão incluídos entre as substâncias indesejadas que serão absorvidas. Na verdade, sob certas circunstâncias, os radicais livres também colaboram para o aumento da permeabilidade da mucosa intestinal.

A combinação do aumento da permeabilidade intestinal com o excesso de radicais livres já foi relacionada a vários problemas sérios, entre eles a terrível septicemia, infecção generalizada que provoca a falência múltipla dos órgãos e, quase na totalidade dos casos, a morte.

A septicemia é sempre antecedida por um aumento brutal da permeabilidade intestinal. Superpermeável, o intestino promove o livre trânsito para o sangue das toxinas e dos radicais livres. Estes, em grande quantidade, enrijecem as membranas dos glóbulos vermelhos, que não conseguem passar pelos capilares. Acontece então a trombose, ou seja, a obstrução vascular, e com isso a irrigação dos tecidos é prejudicada. Com pouca oxigenação, os órgãos começam a falir.

Apenas há poucos anos descobriu-se essa relação entre a septicemia e os radicais livres, conseqüente do aumento da permeabilidade intestinal. Mas graças a esta descoberta várias vidas têm sido salvas. Quando a ameaça de septicemia aparece, altas doses de antioxidantes, a maioria com ação sobre a mucosa intestinal, conseguem, em muitos casos, provocar a regressão do quadro.

Causa e conseqüência

Em várias doenças, o aumento da permeabilidade intestinal aparece no centro de um perigoso ciclo vicioso. É o caso da doença de Crohn e da colite ulcerativa, doenças inflamatórias do intestino que provocam muitas cólicas, diarréias, sangramentos e dores. Em geral, os pacientes destas doenças precisam tomar altas doses de cortisona, o que tem como conseqüência o aumento da permeabilidade intestinal, permitindo que mais substâncias tóxicas circulem pelo organismo.

O mesmo ocorre com freqüência em pacientes de doenças de auto-agressão, como a artrite reumatóide. Na verdade, na origem dessas doenças já está envolvido o fator aumento da permeabilidade do intestino, pois elas acontecem a partir da reação do organismo a uma substância que passou pela barreira da mucosa intestinal e provocou a formação de um anticorpo. O organismo, por algum motivo, reage a esse anticorpo formado, determinando a formação de um novo anticorpo para combatê-lo. Essas cadeias de anticorpos acabam por formar os imunocomplexos que dão início a um processo de destruição dos tecidos.

Os pacientes de doenças de auto-agressão precisam tomar medicações fortes para conter as inflamações, e então o ciclo vicioso mais uma vez se instala: os medicamentos provocam o aumento da permeabilidade intestinal, que permite a entrada de mais toxinas na corrente sangüínea. Os sintomas da doença no paciente se agravam, e ele precisará aumentar as doses dos seus medicamentos.

O que costumo fazer com os pacientes de doenças de auto-agressão é dar-lhes substâncias capazes de normalizar a permeabilidade da mucosa intestinal, ainda que estejam tomando cortisona ou outros medicamentos fortes. Na grande maioria dos casos, o que se obtém desse procedimento é uma melhora espetacular dos sintomas, fazendo com que o paciente possa retomar sua vida normal, apesar da doença.

Assisto há muitos anos uma jovem com periarterite nodosa, uma doença de auto-agressão muito violenta, que com o tempo acaba destruindo os órgãos. Quando Patrícia começou o tratamento com antioxidantes, tomava doses altíssimas de cortisona. Como muitos dos antioxidantes que lhe prescrevi tinham como função melhorar a permeabilidade do intestino, sua melhora foi muito significativa. Tanto que o imunologista que a assistia começou a diminuir as doses da cortisona. Ao final de alguns meses, a melhora contínua de Patrícia animou seu médico a interromper a medicação tradicional. Atualmente, ela toma apenas antioxidantes e está muito bem.

Nestes anos em que venho praticando a medicina sob a ótica dos radicais livres, são muitos os casos em que as vitaminas, minerais e outras substâncias antioxidantes mostraram resultados excepcionais em doenças de auto-agressão, assim como no câncer e na Aids. E sempre se verifica uma melhora muito significativa da função intestinal desses pacientes.

É importante, porém, nos conscientizarmos de que o tratamento com corticóides ou antiinflamatórios não deve ser interrompido, sendo a medicação antioxidante uma terapia a princípio apenas complementar. Com o tempo, havendo melhora significativa e a critério do clínico, é possível tentar a diminuição dos medicamentos convencionais.

A questão do colesterol também pode estar muito ligada à permeabilidade intestinal. Embora a grande maioria das pessoas imagine que o aumento dos níveis de colesterol está relacionado com a ingestão exagerada de alimentos de origem animal, não é bem assim que acontece. O colesterol absorvido através da alimentação não é tão importante, pois ele é eliminado em sua maior parte. Isto, é claro, quando as paredes do intestino estão exercendo bem suas funções.

Quando isso não acontece, então o colesterol da alimentação de fato será mais absorvido, o que não é bom, pois interfere no equilíbrio que existe entre o colesterol que o próprio organismo fabrica e aquela pequena parte absorvida através dos alimentos.

A intoxicação por metais tóxicos como chumbo, mercúrio, alumínio e outros através da alimentação também está relacionada com o aumento da permeabilidade intestinal, já que nosso sistema gastrintestinal conta com mecanismos de controle e eliminação desses perigosos agentes. Portanto, a presença de metais pesados no organismo é um indicador de que algo pode não estar funcionando muito bem na mucosa intestinal.

Um bom exemplo é o caso de um senhor de 55 anos, que chamarei de Alberto, e que apresentava um nível muito alto de alumínio no sangue. Ele chegou a mim muito assustado com seus exames, que apontavam a intoxicação. Disse que não sabia mais o que fazer. Já havia jogado fora todas as panelas e utensílios de alumínio de sua cozinha e preferia sentir dores de estômago a tomar antiácidos que, como ele sabia, contêm alumínio em suas fórmulas. Vivia numa verdadeira "caça ao alumínio" e não permitia que nada fabricado com o metal entrasse em sua casa.

O grande problema do tratamento é que Alberto era hipocondríaco e se automedicava constantemente. Seus medicamentos preferidos eram os antiinflamatórios, que tomava ao menor sinal de uma dor de cabeça. Era claro então que o problema estava no excesso de antiinflamatórios, que aumentam a permeabilidade do intestino.

Quando íntegra, a mucosa intestinal não absorve o alumínio. Embora o solo seja muito rico neste metal e ele esteja presente em praticamente todos os alimentos, não se conhece utilidade para o alumínio no organismo. Assim, ele deve ser totalmente eliminado. Portanto, se há intoxicação, é sinal de que a mucosa do intestino está mais permeável e o alumínio foi indevidamente absorvido.

Conversei longamente com Alberto e mostrei-lhe que o caminho para acabar com sua intoxicação era parar de tomar antiinflamatórios. Convencido, ele suspendeu o medicamento com a condição de que repetíssemos seus exames todos os meses. Assim foi feito e, aos poucos, o alumínio desapareceu de seu organismo.

A obesidade é um outro distúrbio fortemente relacionado com o aumento da permeabilidade intestinal e tive a oportunidade de comprovar esse fato comigo mesmo. Praticamente sem fazer dieta, consegui perder muito peso desde que comecei a cuidar melhor do meu sistema gastrintestinal.

Em 1999, desenvolvi um trabalho em que demonstrei a relação entre o aumento da permeabilidade intestinal e a obesidade. Neste trabalho, que foi apresentado em um congresso médico em Nova Orleans, reuni um grupo de 35 mulheres que não usavam pílula anticoncepcional, antibióticos, antiinflamatórios ou outras substâncias que pudessem interferir diretamente na permeabilidade intestinal.

Foi calculado então o índice de massa corporal de cada mulher, para que identificássemos as que estavam acima do peso ideal. Este índice é obtido pela divisão do peso de uma pessoa pelo quadrado da sua altura ($IMC = kg/m^2$). Quando o resultado é maior que 25, significa que a pessoa está com peso acima do ideal.

O passo seguinte da pesquisa foi medir a permeabilidade intestinal de cada participante. Isso foi feito através de um teste muito simples, chamado prova da lactulose, um tipo de açúcar que em condições normais não é absorvido pelo intestino. O teste é feito na urina, que é colhida durante cinco horas depois da ingestão da lactulose em jejum. Se o resultado apontar pouca quantidade da substância, é sinal de que a permeabilidade do intestino está boa. Mas, caso o exame aponte níveis altos da lactulose, prova que a permeabilidade intestinal estava aumentada a ponto de absorver o açúcar que deveria ser eliminado.

A partir da comparação dos dois dados levantados na pesquisa — resultados da prova da lactulose e os índices de massa corporal de cada mulher —, ficou constatada a relação entre o aumento da permeabilidade intestinal e a obesidade. As mulheres que estavam acima do peso (IMC maior que 25) apresentavam o dobro da permeabilidade das que estavam dentro do peso considerado normal, ou seja, com o IMC abaixo de 25.

Tabela 2
Permeabilidade intestinal em mulheres com excesso de peso

	IMC (média)	*% de absorção da lactulose (média)*
I — nº casos (16)	> 25	2,45 ± 1,67
II — nº casos (15)	< 25	1,54 ± 0,93

A absorção da lactulose nos dá uma idéia da permeabilidade intestinal. Acima de 1,6 há aumento. No grupo com excesso de peso, há um aumento significativo.

Atualmente existem outras formas de avaliar a permeabilidade intestinal, além da prova de lactulose. Uma delas é através da dosagem da antitripsina nas fezes. Essa substância geralmente passa do sangue para as fezes e pode haver aumento da excreção, demonstrando o aumento da permeabilidade intestinal.

Esses testes, entretanto, ainda não são muito utilizados, o que é uma pena, pois vários tratamentos poderiam ser simplificados ou abreviados se fosse feita uma avaliação prévia da permeabilidade intestinal do paciente. E é interessante notar que reverter este quadro não é nada complicado.

Considerar as condições do intestino, portanto, é fundamental para a abordagem e o tratamento dos distúrbios de saúde, e estou certo de que não estamos longe do dia em que todos os médicos reconhecerão isso, seja qual for a especialidade a que se dediquem.

Perigosos peptídeos

Nos últimos anos, algumas pesquisas estão ampliando o alcance dos comprometimentos que o aumento da permeabilidade intestinal pode causar ao organismo. Para surpresa de muitos cientistas, foi constatado que alguns distúrbios psiquiátricos, como depressão, ansiedade e até mesmo convulsões, acontecem em função da absorção indevida de certos peptídeos, que são substâncias derivadas das proteínas.

No estômago, principalmente, as proteínas são transformadas em partes menores — os aminoácidos —, que depois de absorvidas pela mucosa intestinal vão ser novamente transformadas em proteínas para compor os tecidos do nosso organismo, como a pele e os músculos. A própria mucosa do duodeno também secreta enzimas especiais para transformar as proteínas em aminoácidos.

Mas antes de transformarem-se em aminoácidos, as proteínas decompõem-se em peptídeos que são, portanto, moléculas compostas de aminoácidos. Se há dois aminoácidos, trata-se de um dipeptídeo; se há três, um tripeptídeo, e assim por diante. Se há mais de 20 aminoácidos, a molécula então já pode ser considerada uma proteína.

Existem peptídeos muito importantes para o organismo. Alguns hormônios, por exemplo, são peptídeos. Mas alguns deles são perigosos e podem se fixar indevidamente no cérebro, quando a digestão não é bem-feita e a mucosa intestinal está mais permeável.

Além de distúrbios de ordem psíquica, a absorção de certos peptídeos pode provocar ainda um sintoma bastante conhecido: a avidez por alimentos. Um exemplo muito comum é o que acontece com a caseína, uma das proteínas do leite de vaca. Quando não corretamente metabolizada, a caseína forma um peptídeo bastante interessante, chamado exorfina, que tem efeito semelhante à endorfina, neurotransmissor responsável pela sensação de prazer.

O organismo produz endorfinas e há muitos receptores dessa substância no cérebro. Esses receptores servem justamente para que uma substância específica funcione nas células, através de sua fixação. Nos exercícios físicos exaustivos, por exemplo, há uma produção grande de endorfina e por isso muitas pessoas acabam viciadas na prática da corrida ou em academias de ginástica.

O aumento da permeabilidade intestinal é certamente um dos fatores que permitem que a exorfina formada pela caseína do leite de vaca se fixe nos receptores de endorfina no cérebro, para produzir o mesmo efeito de prazer. Por isso muitas pessoas desenvolvem avidez por este alimento e seus derivados.

Existem muitos casos interessantes sobre o poder que algumas substâncias possuem de se fixar em receptores de outras substâncias. Um destes casos é o da morfina, substância extraída do ópio. No passado, os cientistas ficavam muito intrigados com o fato de uma substância não formada no organismo como a morfina conseguir se fixar no cérebro, aliviando a dor. Não era lógico para aqueles cientistas que existissem no cérebro receptores para uma substância sintética.

Hoje se sabe que a morfina, assim como a cocaína, a heroína e outras substâncias deste mesmo grupo químico se fixam na verdade nos receptores da endorfina. Os chineses já sabem há muito tempo que o organismo é capaz de fabricar a sua própria "morfina" e por isso desenvolveram a acupuntura, cujas agulhas nada mais fazem do que liberar a endorfina em pontos específicos do corpo, combatendo assim a dor.

5

Os Habitantes da Flora

Hospedamos dentro de nós uma quantidade fabulosa de bactérias, fungos e outros microorganismos invisíveis que compõem a flora intestinal. Alojados no intestino grosso, também chamado cólon e que circunda todo o intestino delgado, eles fazem parte do ecossistema humano e são, portanto, fundamentais para a nossa sobrevivência. Temos mais bactérias dentro do intestino do que células no corpo. Um adulto pode possuir cerca de 50 trilhões desses microorganismos!

Estamos sempre expostos a bactérias, fungos e microorganismos através da alimentação e, porque nem todos são benéficos, o sistema gastrintestinal possui barreiras de proteção contra aqueles que podem fazer mal ao organismo. A saliva é a primeira barreira, pois possui enzimas que ao mesmo tempo em que começam a degradar os carboidratos e as gorduras, principalmente, procuram destruir as bactérias patogênicas.

Reduzidos a pedaços menores, os alimentos chegam ao esôfago, uma espécie de tubo onde serão comprimidos. Depois, são aos poucos enviados ao estômago, a nossa "câmara de armazenagem" com cerca de um litro e meio de capacidade, que já estará devidamente preparada para recepcionar os pedaços de alimentos e reduzir ainda mais seu tamanho.

Quando entra no estômago, o bolo alimentar recebe um banho de suco gástrico que contém enzimas e ácido clorídrico. Trata-se de um preparado extremamente potente que não apenas degrada as proteínas em peptídeos, mas ainda finaliza o processo de destruição das bactérias patogênicas.

Mas, apesar dessas barreiras naturais, os microorganismos benéficos como os lactobacilos, presentes no iogurte e na coalhada, precisam conviver no intestino com as bactérias do tipo saprófitas, que não fazem bem nem mal, e com os microorganismos patogênicos como a cândida, a brucela, o toxoplasma e muitos outros. No intestino saudável, estas bactérias têm suas ações maléficas contidas pela superioridade quantitativa das bactérias úteis.

É fácil perceber a importância das bactérias benéficas para a imunidade, mas elas fazem ainda muito mais por nós. Lactobacilos e demais bactérias úteis, como o *Saccharomyces boulardi* e o *Bifidobacterium*, sintetizam antibióticos naturais e vitaminas importantíssimas, como as do complexo B. Em experiências com animais, quando se deseja provocar neles uma carência dessas vitaminas, a técnica mais rápida é promover a destruição da sua flora intestinal.

Aliás, o fato de serem todas sintetizadas pelos lactobacilos é uma das razões pelas quais as vitaminas do complexo

B são assim agrupadas, já que, em termos de estrutura química, essas vitaminas são completamente diferentes umas das outras.

Outra importante vitamina sintetizada pelos lactobacilos é a vitamina K, responsável pela cicatrização. Portanto, não há vida saudável sem um bom sortimento de bactérias úteis no intestino, e por isso é preciso cuidar para que elas estejam sempre em vantagem numérica sobre as patogênicas. Pena que isso nem sempre aconteça.

A perigosa disbiose

O acúmulo de maus-tratos com a função intestinal afeta o equilíbrio da flora, fazendo com que as bactérias nocivas ganhem terreno. Está configurada, então, uma situação de risco. Algumas dessas bactérias podem colonizar o intestino delgado, com conseqüências bem sérias: nutrientes são digeridos de forma errada, toxinas se combinam com proteínas, formando peptídeos perigosos. É a chamada disbiose, um distúrbio cada vez mais considerado no diagnóstico de várias doenças, que nada mais é do que o desequilíbrio sério da flora intestinal.

Um dos fatores que concorrem muito para a disbiose é a má digestão. Nem sempre o estômago está ácido o suficiente para destruir as bactérias patogênicas ingeridas junto com os alimentos, e assim as bactérias nocivas ganham uma boa vantagem sobre as úteis. A fraca acidez estomacal é comum acontecer com pessoas mais idosas, e ainda com os diabéticos, que costumam ter deficiência de produção de ácido clorídrico.

Um outro fator importante para o desequilíbrio da flora intestinal é o uso prolongado de antibióticos, que matam indiscriminadamente tanto as bactérias úteis como as nocivas. Por isso pessoas que têm infecções repetidas precisam cuidar da preservação da flora intestinal benéfica.

A disbiose torna-se ainda mais perigosa quando se combina com — ou mesmo provoca — outros distúrbios, como o aumento da permeabilidade intestinal.

A prisão de ventre é um facilitador importante da disbiose porque a retenção das fezes no cólon facilita a passagem das bactérias nocivas para o intestino delgado. Outras alterações que afetem o funcionamento da válvula ileocecal, que separa o intestino delgado do intestino grosso, também podem fazer com que isso aconteça.

Quem está sempre às voltas com dificuldades intestinais tem grandes possibilidades de estar sofrendo de disbiose. Um sinal muito claro disso é a síndrome do cólon irritável, em que o desequilíbrio da flora intestinal chega ao ponto de impedir as funções normais do cólon, provocando diarréias constantes. Pessoas com síndrome do cólon irritável são aquelas com intestinos extremamente sensíveis, sempre prontas a responder (mal) a qualquer tipo de alimento.

São poucas as doenças que não estão de alguma forma relacionadas à disbiose, o que mais uma vez confirma a crença dos orientais sobre a importância do intestino. O crescimento exagerado de bactérias patogênicas tumultua tanto a função gastrintestinal que acaba desequilibrando a produção das secreções pelos órgãos que a compõem. Isto resulta em insuficiência pancreática, diminuição da função biliar, deficiência de ácido clorídrico e, por fim, prejuízo à motilidade intestinal. Até mesmo a falta de alegria de viver pode ser conseqüência de uma disbiose, pois alguns microorganismos têm o poder de diminuir a formação da serotonina.

A disbiose também é capaz de provocar a perda de peso, mas não a do tipo saudável. A predominância de bactérias patogênicas pode afetar a produção de enzimas importantes e com isso a capacidade de absorção dos nutrientes diminui, causando um déficit nutricional que, entre outros prejuízos, concorrerá para a perda de peso.

Enfim, a disbiose é um problema sério que vai perturbar todo o organismo e por isso deve ser bem investigado. Gases, cólicas, diarréias e prisões de ventre freqüentes já são sintomas que justificam exames específicos para conferir o equilíbrio da flora intestinal.

Parte II

6

O Outro Cérebro

Uma das provas irrefutáveis da inteligência do sistema gastrintestinal é a forma sofisticada como os nutrientes são degradados no tubo digestivo. Carboidratos, gorduras e proteínas possuem sistemas diferentes de metabolização, e desde a mastigação cada grupo irá interagir com enzimas específicas, no momento e local próprios, para que sejam depois absorvidos pela mucosa intestinal e enviados à corrente sangüínea. A forma sincronizada como os órgãos trabalham para a digestão e a absorção também não deixa dúvidas de que temos um sistema inteligente e independente dentro do abdome.

Por isso tem muito fundamento a teoria que acredita ter o homem, durante o seu longo processo de evolução, desenvolvido dois cérebros: um na cabeça, que lhe permitia encontrar meios de sobrevivência, garantir a reprodução da espécie e outros aspectos mais interessantes da vida, e outro — o intestino — que ficaria responsável pelos processos vitais de digerir e absorver os alimentos.

De fato, na fase embrionária, cérebro e intestino humanos provêm da mesma camada germinativa primária, o ectoderma, que dá origem ainda à pele, às unhas, aos órgãos externos dos sentidos. Portanto, embora tenhamos crescido acreditando possuir apenas um cérebro no comando do organismo, temos na verdade dois.

Todos esses aspectos foram recentemente abordados pelo professor e pesquisador Michael D. Gershon, da Universidade de Colúmbia, em um livro que relata justamente as relações do cérebro com o aparelho gastrintestinal. Entre os muitos estudos que apresenta, Gershon detalha em sua obra uma experiência muito interessante realizada no final do século XIX por dois cientistas ingleses, que vêm a ser aqueles que primeiro anunciaram à ciência a independência nervosa do intestino.

Bayliss e Starling pesquisavam o funcionamento intestinal trabalhando com cães. Certa vez, eles cortaram todos os nervos periféricos que ligavam o intestino ao sistema nervoso central do animal. Perceberam então que o funcionamento e os reflexos do órgão não eram interrompidos. Ao contrário dos membros ou demais órgãos, que param de funcionar quando suas fibras nervosas são cortadas, nada aconteceu com o intestino do cachorro que estudavam.

Os estudos sobre a fisiologia humana avançaram bastante desde Bayliss e Starling, e hoje se conhecem bem as características nervosas do intestino. Nada menos que 100 milhões de neurônios compõem o plexo nervoso que envolve este surpreendente órgão, enquanto não passa de três mil o número de células que o ligam ao sistema nervoso central, formado pelo cérebro e pela medula espinhal. É justamente essa diferença numérica de neurônios que garante não apenas a inteligência, mas também a "independência" intestinal.

O que acontece ao redor do intestino é uma intensa ramificação dos nervos que chegam do sistema nervoso central, e nesta malha nervosa, chamada sistema nervoso entérico, milhões de neurônios trabalham de forma independente dos comandos do cérebro ou da medula espinhal. Por isso o órgão pode automonitorar-se, fazendo com que todas as secreções, enzimas e substâncias necessárias para a digestão e absorção estejam presentes no momento certo, na concentração certa e na quantidade certa.

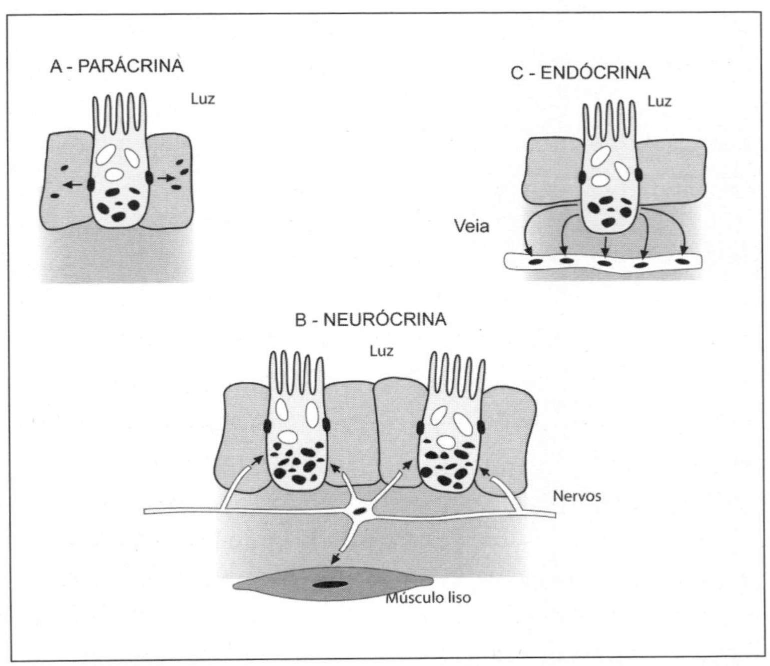

As células do intestino produzem três tipos diferentes de secreções: a parácrina, que atua nas células adjacentes; a neurócrina (neurotransmissores), que atua nos nervos; e a endócrina (hormônios), que vai para o sangue e age à distância.

Embora o sistema nervoso entérico seja conhecido da ciência há muito tempo, ele acabou negligenciado em favor de inúmeras outras descobertas interessantes que se seguiram nos anos seguintes sobre a nossa fantástica máquina de vida. Este não foi um caso isolado e a história do conhecimento científico não é linear. Descobertas importantes ficaram por muito tempo esquecidas até que pesquisadores de gerações seguintes percebessem nelas o seu valor e as resgatassem para a ciência, que assim se desenvolve continuamente.

Pessoas que há muito não se dedicam ao estudo do sistema nervoso central, por exemplo, se surpreenderiam ao constatar quantos conceitos foram modificados ao longo dos últimos anos. Classicamente, o sistema nervoso é dividido em duas partes principais: o central, que inclui o cérebro e a medula espinhal, como vimos, e o periférico, composto de nervos que se espalham por todo o organismo, inclusive no sistema gastrintestinal, e funcionam sob o comando do sistema nervoso central.

No sistema periférico existe ainda uma outra subdivisão clássica, feita sob o critério dos neurotransmissores, aquelas substâncias secretadas nas terminações dos neurônios, responsáveis pela transmissão dos estímulos nervosos. Existe então o sistema nervoso vago ou parassimpático, que secreta a acetilcolina, neurotransmissor de ação dilatadora nos vasos e constritora da musculatura, e o sistema nervoso simpático, que secreta a noradrenalina, hoje também conhecida como norepinefrina, de ação inversa: vasoconstritora e dilatadora dos músculos.

O critério da ação destes dois neurotransmissores dominou por muitas décadas os estudos científicos e esclareceu muitos mistérios. A súbita sensação de vazio que temos na barriga diante de uma emoção muito forte nada mais é do que uma descarga de noradrenalina, que provoca um relaxamento nos órgãos abdominais. É a origem da expressão popular "borrar-se de medo".

Há casos reais de pessoas que ficam em situações muito embaraçosas diante de uma emoção intensa, que lhes provoca um total relaxamento do intestino. Também é a noradrenalina que está por trás daquela cena tão comum no cinema, quando o jovem policial não consegue conter o vômito diante da visão de um cadáver.

Os neurotransmissores explicam classicamente ainda algumas características individuais. Voltando ao intestino, que é o que nos interessa, sobre quem o possuía mais preguiçoso dizia-se que havia ali um predomínio do sistema nervoso parassimpático, já que a acetilcolina deixa o intestino mais contraído. Já aqueles com intestino mais ativo apresentariam predomínio do simpático, que dilata a musculatura.

Embora ainda válida, essa divisão não é mais absoluta, pois descobriu-se que a acetilcolina e a noradrenalina não são os únicos neurotransmissores a vagar pelo sistema nervoso. Hoje se sabe que os nervos secretam dezenas de outras substâncias que enviam impulsos através dos neurônios. Por isso a divisão simpática e parassimpática não é mais tão utilizada como antes, e prefere-se agora utilizar o termo sistema nervoso autônomo.

No sistema nervoso do intestino, portanto, além de noradrenalina e acetilcolina, existe uma intensa secreção de outros neurotransmissores, e ainda enzimas e hormônios que garantem o complexo funcionamento do sistema gastrintestinal. Este maravilhoso conjunto de substâncias possui na verdade uma atuação muito mais ampla no organismo do que se supunha no passado, e é isso que vem despertando nos cientistas tão grande interesse pelo que acontece dentro do longo tubo intestinal.

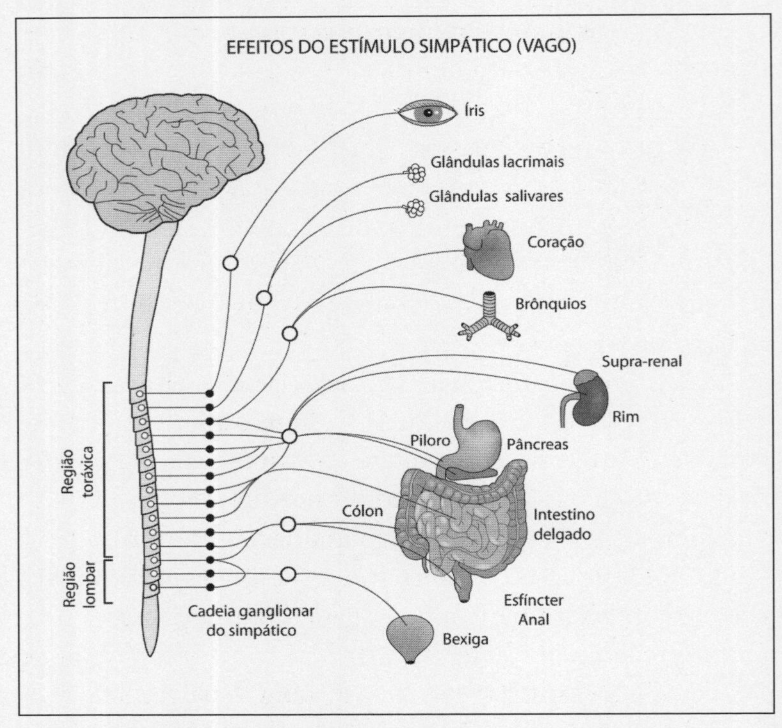

Ações do sistema vago e simpático em todo o corpo, a partir do cérebro e da medula espinhal.

Tabela 3 Como age o sistema nervoso autônomo nos vários órgãos	
Local	*Efeito do estímulo simpático*
Olhos (pupila)	Dilatação
Glândulas (nasal, salivar, lacrimal, pancreática)	Secreção escassa
Glândulas do suor	Secreção copiosa
Coração (músculo)	Velocidade e contração aumentadas (taquicardia)
Pulmão (brônquios)	Dilatação
Intestino (esfíncter)	Aumentado (em geral)
Intestino (luz ou interior)	Peristalse diminuída
Vesícula biliar	Relaxada
Pênis	Ejaculação

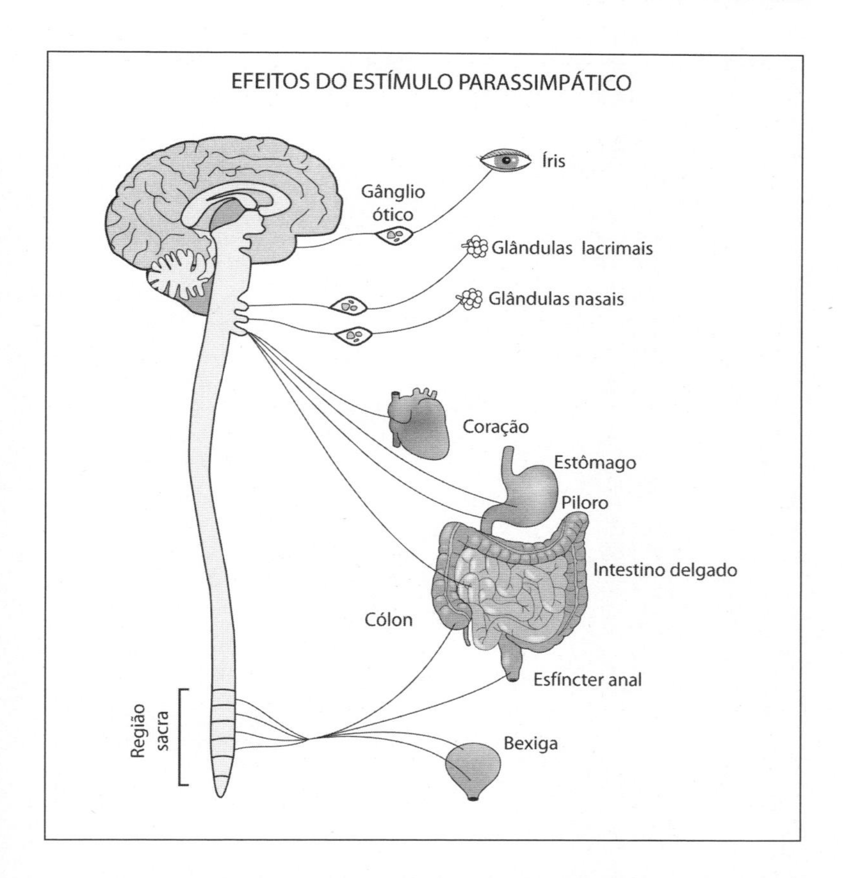

Tabela 4 Como age o sistema nervoso autônomo nos vários órgãos	
Local	*Efeito do estímulo parassimpático*
Olhos (pupila)	Constrição
Glândulas (nasal, salivar, lacrimal, pancreática)	Secreção copiosa
Glândulas do suor	Secreção escassa (palmas das mãos)
Coração (músculo)	Velocidade diminuída
Pulmão (brônquios)	Constrição
Intestino (esfíncter)	Contraído
Intestino (luz ou interior)	Peristalse aumentada
Vesícula biliar	Contraída
Pênis	Ereção

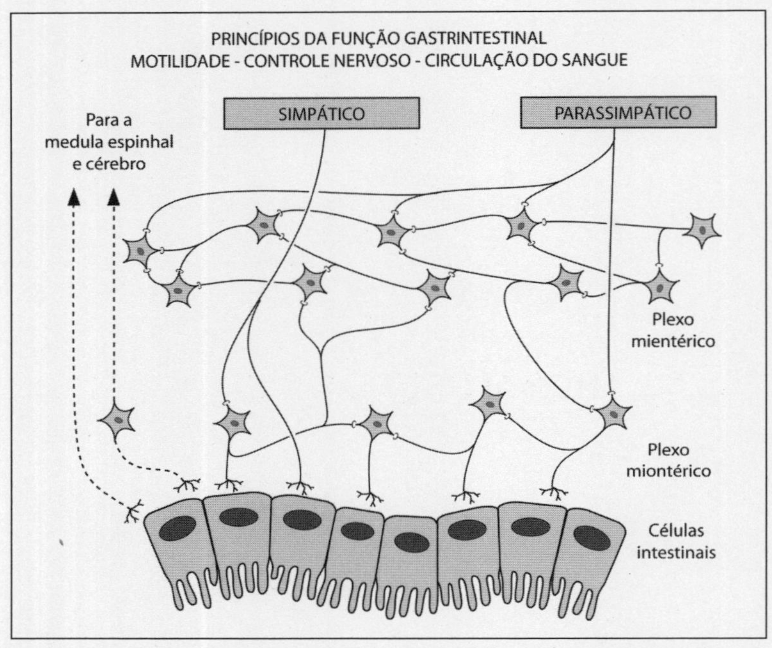

O plexo nervoso do intestino controla os movimentos intestinais. Ele atua tanto sobre a musculatura intestinal como nos enterócitos, que são as células que revestem o intestino. Os neurônios sensitivos (à esquerda na figura) levam os impulsos ao cérebro e à medula espinhal.

7

O Laboratório da Felicidade

Alegria de viver e serotonina são absolutamente interdependentes. Uma não existe sem a outra. Tanto é assim que os tratamentos clássicos da depressão envolvem esse neurotransmissor, interferindo no seu ciclo natural dentro do cérebro. As drogas antidepressivas utilizam a reserva de serotonina que as células prudentemente armazenam para o caso de uma forte emoção ou uma crise que requeira uma solução difícil.

A grande questão é que esses medicamentos não atuam no cerne do problema, que é a falta de produção de serotonina pelo cérebro. Isso explica o fato de 25% das pessoas deprimidas se tornarem refratárias a qualquer remédio clássico para a doença. Tal constatação levou à procura de outras formas de tratamento para a depressão, como o uso do triptofânio, o aminoácido precursor da serotonina.

Mas os pesquisadores foram mais além, motivados por uma curiosidade simples: por que algumas pessoas produzem serotonina em quantidade suficiente e outras não? Por que algumas pessoas são naturalmente felizes e outras não conseguem ver na vida nenhum motivo para se alegrar? É claro que essas pesquisas chegaram ao nosso sistema gastrintestinal.

O que acontece é que a produção de serotonina e demais neurotransmissores é muito mais dependente do sistema gastrintestinal do que se imaginava. Uma quantidade grande de perturbações digestivas e absortivas é capaz de interferir na produção dos neurotransmissores de que necessitamos para viver bem.

Na verdade o problema começa um pouco antes, ainda na ingestão. Isso porque a digestão dos alimentos depende fundamentalmente de alguns minerais que não são mais tão abundantes como antes. A agricultura moderna e seus adubos químicos aceleram o crescimento dos alimentos artificialmente e impedem que eles absorvam os minerais contidos no solo.

O zinco, por exemplo, é necessário na primeira fase da digestão para produzir o ácido clorídrico, que é essencial para absorver corretamente os minerais e as vitaminas contidos nos alimentos. Depois, o zinco é novamente necessário para formar as enzimas digestivas, que vão extrair dos nutrientes, entre outros, a matéria-prima para a formação da serotonina. Sem zinco, portanto, acontece no organismo o que se chama de estresse biológico.

Além do estresse biológico, estamos sujeitos ainda ao estresse interpessoal, provocado pelos desencontros nas relações amorosas, afetivas, familiares e profissionais, e o estresse psíquico, comum a grande parte dos povos no Terceiro Mundo, onde se sonha com um estilo de vida "californiano", absolutamente incompatível com o nosso salário médio. Esses estressores provocam no organismo um pinga-pinga de adrenalina e corticóides, o que também causa um bloqueio do ácido clorídrico e, conseqüentemente, a má absorção.

Além da dificuldade de absorver minerais e nutrientes, o estresse de qualquer tipo facilita a instalação de germes oportunistas no intestino, como o *Clostridium difficile*, ótimo exemplo de germe cuja proliferação é facilitada quando não há boa secreção de ácido clorídrico e de enzimas pancreáticas.

O amido mal digerido é o grande facilitador da proliferação do *Clostridium difficile*, que manda para o cérebro uma toxina para inibir a síntese de serotonina. Ao fazer isso, o germe está na verdade garantindo a sua sobrevivência, pois a falta de serotonina provoca no organismo hospedeiro a vontade de comer doces, que são o seu alimento. Esse tipo de *Clostridium* produz ainda substâncias que vão bloquear a absorção das vitaminas lipossolúveis, além de aumentar a proliferação da cândida, que também contribui para a depressão, como veremos em capítulo posterior sobre este fungo.

Seria muito interessante se pudéssemos descobrir, em cada deprimido, que tipo de estressor iniciou uma disbiose no intestino, o que por si só poderá manter o estado depressivo do indivíduo e bloquear sua inteligência emocional. Mesmo que os conflitos sejam resolvidos, o estresse biológico instalado pode perpetuar as disfunções que o deixarão sempre à mercê da depressão.

Em alguns casos em que se consegue convencer o paciente deprimido a investir na boa alimentação, os resultados são sempre positivos. Tive recentemente a chance de verificar isso acompanhando o caso de um rapaz, de apenas 25 anos, que sofria de depressão. Como é muito comum acontecer, o diagnóstico da doença foi tardio, pois sua família acreditava que o estado do rapaz era algo passageiro, fruto de sua insatisfação com a faculdade e dificuldade de se relacionar.

Quando André começou a beber exageradamente, a família procurou auxílio médico e chegou-se ao diagnóstico. Mas o tratamento foi muito difícil, pois o rapaz por várias vezes o interrompeu por causa da bebida. Quando o conheci, ele estava muito acima do peso, alimentava-se mal e seu humor dependia dos remédios. O que lhe propus foi uma mudança radical que começaria pela alimentação.

André passou por uma desintoxicação alimentar para controlar a disbiose. Foi para um spa vegetariano, onde ficou durante um mês. Quando voltou para casa, havia perdido peso e estava bem melhor. Começamos então a tentar o triptofânio e os resultados foram muito bons. Cerca de seis meses depois, André estava livre das crises de depressão, seu peso havia voltado ao normal e não dependia mais da bebida. Hoje, André está estudando para ingressar em uma nova faculdade e consegue se relacionar bem melhor com as pessoas.

Não é exagero, portanto, afirmar que a infelicidade pode acontecer a partir de um problema gastrintestinal. E isso ficou ainda mais evidente há poucos anos, quando alguns pesquisadores descobriram que a serotonina não é fabricada apenas no cérebro, mas também no intestino. Na verdade, cerca de 90% da serotonina de nosso organismo é produzida neste órgão.

É claro que essa descoberta desencadeou muitas outras e hoje se sabe que, além de ser responsável pelo "bom astral", a serotonina é uma substância nutricional. O intestino precisa de serotonina para exercer bem as suas funções. Afinal, não seria ele o responsável pela maior parte da fabricação deste hormônio no organismo à toa. Hoje se sabe que a serotonina tem papel na motilidade do intestino e, em excesso, pode causar diarréia.

Pesquisas comprovaram que as pessoas alcoólatras também apresentam deficiência de serotonina, sendo este neurotransmissor considerado uma causa importante deste grave problema social.

Certamente podemos esperar em um futuro breve por novas descobertas sobre o papel da serotonina no intestino e suas relações com a serotonina que existe no cérebro, mas é verdade que algumas dessas relações já são conhecidas dos bons observadores da vida. Quem nunca ouviu falar que pessoas mal-humoradas têm prisão de ventre?

Felicidade de dia, descanso de noite

Para nós que vivemos num país onde o sol é uma companhia constante, é difícil imaginar que os povos dos países nórdicos consigam passar vários meses do ano sem usufruir os benefícios da luz solar. Mas é assim e, por isso, esses países registram números recordes de depressão e suicídio.

A explicação para este fenômeno está na relação de alternância existente entre a serotonina e a melatonina, um hormônio importantíssimo que é secretado a partir da serotonina. Entre outras características benéficas, a melatonina é o maior antioxidante natural que possuímos, pois enquanto dormimos este hormônio faz uma verdadeira faxina de radicais livres no cérebro, revigorando-nos para o dia seguinte.

Nas pessoas com ritmo de vida normal, a produção de serotonina é alta durante o dia, para agüentar bem a agitação do cotidiano, enquanto que a de melatonina é praticamente nula. À noite, a situação se inverte. Sob o efeito da escuridão, a produção de serotonina cai, enquanto a de melatonina aumenta, chegando ao pique por volta das duas horas da manhã.

Sem a alternância dessas secreções, em função da falta de luz solar, os povos que passam longos meses sem sol acabam produzindo pouca serotonina e muita melatonina, sofrendo de depressão. Por isso hoje existem nesses países clínicas onde as pessoas tomam banhos de luz em verdadeiros holofotes, como uma terapia para combater a depressão através do aumento da formação de serotonina com baixa da melatonina.

É claro que, como um produto da serotonina, a melatonina também é fabricada em grande quantidade no plexo intestinal e é importantíssima para a saúde do órgão, como várias pesquisas já comprovaram. Em animais, verificou-se que aqueles com níveis mais altos de melatonina no intestino eram muito menos sujeitos ao câncer intestinal. Um outro trabalho com ratos verificou que a melatonina é capaz de evitar a inflamação generalizada de intestino nesses animais. Também, através de necropsias humanas, já verificou-se a relação entre o câncer e o baixo nível de melatonina intestinal.

Recentemente foi publicado no *British Medical Journal* um trabalho comparando dois grupos de pacientes com câncer avançado, um que usava e outro que não usava melatonina como suplemento. A conclusão foi que a melatonina melhorava muito o estado geral de saúde e aumentava a sobrevida daqueles que a usavam. Além de ser fundamental ao sono e poderoso antioxidante, a melatonina é um excelente imunoestimulante e é por essa razão que as pessoas que dormem mal têm imunidade baixa.

Assim como acontece com a serotonina, a produção da melatonina no intestino também é grande. Um trabalho apurou que no horário de pico de produção do hormônio, durante a madrugada, o nível de melatonina no sangue chega a 120 picogramas por mililitro (um picograma equivale a um bilionésimo do miligrama). No intestino, a quantidade de melatonina é quase 400 picogramas no mesmo horário.

Diversas outras pesquisas estão sendo desenvolvidas com este interessante hormônio, cuja proibição de venda aconteceu apenas no Brasil, pela Vigilância Sanitária, há cerca de quatro anos. Ainda que a medida tenha sido suspensa, já que não havia fundamento científico que a justificasse, tornou-se muito difícil conseguir melatonina em nosso país. Quando isso acontece, os preços são exorbitantes. Enquanto nos Estados Unidos um vidro de melatonina custa em torno de U$ 8, no Brasil o preço chega a R$ 80.

É uma pena, pois a melatonina é um hormônio importantíssimo para uma vida feliz e saudável, como demonstra o grande número de trabalhos científicos que vêm sendo publicados sobre este hormônio e sua ação nos mais variados tipos de distúrbios, com destaque para a depressão.

Uma dessas pesquisas constatou, por exemplo, que as pessoas que tomam muitos calmantes têm níveis de melatonina mais baixos, o mesmo acontecendo com aquelas que convivem com problemas coronarianos. É fácil concluir que essas pessoas precisam cuidar também do intestino, permitindo que ele fabrique mais melatonina.

Ainda lamento muito a proibição e a retirada da melatonina do mercado brasileiro. Com esta medida, as pessoas não tiveram tempo de se acostumar a fazer uso freqüente deste hormônio. Nos Estados Unidos, a melatonina é vendida até em forma de chá, nos supermercados. A proibição, certamente provocada por pressão dos grandes laboratórios que fabricam antidepressivos, fez com que os brasileiros conhecessem sobre a melatonina apenas o seu poder de induzir o sono, o que é pouco diante de todos os benefícios que este hormônio pode oferecer.

Para ter mais serotonina

A produção normal de serotonina acontece a partir do triptofânio, um aminoácido que precisamos ingerir pela alimentação. O triptofânio está presente nas proteínas do leite, do ovo e da carne, principalmente. Entretanto, é a ingestão dos carboidratos que favorece a formação de serotonina.

O que acontece é que o triptofânio precisa competir com os outros aminoácidos das proteínas para penetrar no cérebro. E por ser uma molécula presente em menor quantidade nos alimentos, acaba levando desvantagem. A ingestão de carboidratos provoca a liberação da insulina, que envia às células um comando para que elas absorvam rapidamente os aminoácidos. Assim, aumentam as chances de o triptofânio entrar na corrente sangüínea. Por isso algumas pessoas desenvolvem uma avidez por carboidratos quando estão com pouca serotonina.

Por causa da concorrência entre os aminoácidos, o que se faz agora é tomar o triptofânio sublingual, que vai direto para o sangue. Com isso, os resultados do uso dessa substância têm-se mostrado cada vez melhores, substituindo em muitos casos o uso dos antidepressivos clássicos. Recentemente vem-se experimentando a administração do 5-hidroxitriptofânio, que é ainda mais ativo do que o próprio triptofânio. Esta substância começou a ser utilizada por causa de um problema sério que aconteceu nos Estados Unidos.

Como o triptofânio também estimula a formação do hormônio de crescimento, é muito usado por pessoas que querem ganhar massa muscular. Há alguns anos, uma indústria japonesa lançou no mercado norte-americano um triptofânio fajuto e algumas pessoas morreram com lesão muscular intensa depois de ingeri-los.

A questão acabou resolvida de uma forma que lembra o nosso famoso "jeitinho brasileiro". Diante da proibição do triptofânio, o que é um absurdo, por se tratar de uma substância natural, as autoridades de saúde norte-americanas recorreram a um artifício para não saírem desmoralizadas da história. Como antes de formar serotonina o triptofânio forma 5-hidroxitriptofânio, foi liberada a venda desta substância precursora da serotonina, apenas um pouquinho mais cara.

Na verdade, o que se verifica hoje é que a administração de triptofânio, ou do 5-hidroxitriptofânio, é muito mais eficaz do que os antidepressivos clássicos para os casos de depressão. Inibindo a recaptação da serotonina pelas células, ou seja, interferindo no ciclo natural do neurotransmissor, esses medicamentos, mais cedo ou mais tarde, deixarão de funcionar. É preciso levar em conta que é preciso, antes de tudo, aumentar a formação de serotonina no cérebro. Não adianta inibir a recaptação de um neurotransmissor que não está sendo produzido, ou está sendo produzido em baixa quantidade.

8

Cândida e Cia.

Preocupa-me muito o fato de a disbiose ser um distúrbio ainda pouco considerado nos diagnósticos. Infelizmente, ainda não se dá muita importância ao que acontece no sistema gastrintestinal na abordagem da maioria das doenças, a exemplo do que acontece na medicina oriental. E se a disbiose é capaz de interferir até mesmo na nossa felicidade, tem certamente mais relações com a saúde geral do que se supõe tradicionalmente.

Sempre que acontece a disbiose, a *Candida albicans* é o primeiro dos microorganismos perigosos cuja presença se faz notar. Ela está envolvida no tipo de disbiose conhecida como fermentativa, cuja conseqüência mais perceptível é a produção excessiva de gases. Entretanto, a cândida também é responsável por doenças sérias e, o que é pior: nem sempre os sintomas dessas doenças são atribuídos à presença da cândida.

A cândida é um fungo, o mesmo que provoca o sapinho nos bebês e a candidíase vaginal, que incomoda tanto as mulheres. Pode ocasionar ainda enxaqueca, dor abdominal, depressão, insônia, dificuldade de concentração e até o aumento da permeabilidade intestinal. Isto porque, combinada com o aspartame, hoje largamente utilizado como adoçante, a cândida produz uma enzima que corrói o cimento que une as células, resultando em furos na parede intestinal.

Estamos continuamente expostos à cândida, pois ela é uma bactéria muito comum no ambiente e presente na maioria dos alimentos que consumimos. É freqüente que as pessoas tenham deficiência de formação de anticorpos contra a cândida, mas em alguns casos o que se verifica é uma quantidade excessiva desse fungo no organismo, por conta do aumento da permeabilidade. Há ainda pessoas em que a quantidade de cândida nem é tão exagerada, mas o organismo possui uma sensibilidade muito grande a ela.

Entre todos os distúrbios que a cândida pode causar, a enxaqueca é o mais comum. Sempre que recebo um paciente com este sintoma, suspeito logo deste fungo e na grande maioria das vezes minhas suspeitas se confirmam. Nesses casos, a atuação da cândida acontece através da barreira que existe entre o sangue e o cérebro, a barreira hematoencefálica, que impede a entrada no cérebro de substâncias indesejadas que circulam pela corrente sangüínea.

O problema é que alguns fatores, entre eles o estresse, provocam falhas nesta proteção. Costumo dizer que a barreira hematoencefálica funciona mais ou menos como a barreira da alfândega: não deveria passar nada, mas acaba passando.

Em reação às toxinas da cândida, o organismo forma com elas uma substância chamada bradicinina, que vem a ser o principal alterador da barreira hematoencefálica. No cérebro, a bradicinina produz radicais livres, edemas e ainda a retenção de sódio, que provocam a enxaqueca.

Sobre as bradicininas, um alerta importante: atualmente vêm-se recomendando alguns medicamentos que contêm essa substância para pacientes que precisam diminuir o batimento cardíaco. Mas está se subestimando o fato de que a bradicinina pode "abrir as portas" do cérebro, o que representa um risco muito grande.

Outro problema associado à cândida é a fadiga crônica, um distúrbio que vem se tornando muito comum, principalmente entre as mulheres na faixa dos 30 aos 45 anos. Quem tem fadiga crônica sente um cansaço permanente, tristeza, desânimo, alterações de sono, baixa de imunidade e dores musculares. Algumas pacientes apresentam também febre baixa durante certo período do dia.

A fadiga crônica está muito associada aos alimentos preferidos da cândida, que são os carboidratos, especialmente o açúcar refinado. Como as mulheres normalmente ingerem mais carboidratos do que os homens, é possível que este fato explique por que elas sofrem mais com o problema. A partir do açúcar, a cândida tem sua proliferação muito aumentada e suas toxinas acabam impedindo a entrada de vitamina B_6 no cérebro, interferindo na produção de substâncias importantes como a serotonina.

A cândida também pode estar associada a problemas endócrinos, como a tensão pré-menstrual, e hepáticos, principalmente em pessoas que comem proteínas em excesso. Combinadas com esses nutrientes, a cândida forma amônia, substância que pode afetar o fígado, quando o sistema imune não está muito bom.

O que vem se tornando claro é que uma grande quantidade de pessoas que sofrem do fígado e tentam vários tratamentos sem melhora pode na verdade ter a cândida como causadora do problema. É possível que isso aconteça ainda com outras doenças, porque a proliferação exagerada desse fungo provoca sintomas que confundem bastante os médicos.

Embora até antibióticos sejam usados em tratamentos de combate à cândida atualmente, acredito que se deveriam associar a eles boas doses de lactobacilos, que possuem ação antagônica à cândida. Mas é importante tomar doses muito altas destas bactérias, para que elas possam enfrentar e coibir a ação do fungo.

Os iogurtes e similares vendidos nos supermercados infelizmente não ajudam muito quando se quer combater a cândida ou a disbiose em geral, pois estes produtos contêm uma quantidade pequena de lactobacilos, algo entre 100 e 200 milhões. Isso é muito pouco, dentro do universo de 50 trilhões de microorganismos que habitam o nosso intestino.

Antigamente era muito simples tomar lactobacilos, mas agora isso tornou-se bastante complicado. Exatamente como aconteceu com a melatonina, os lactobacilos também tiveram sua venda suspensa recentemente pela Vigilância Sanitária, sob a alegação de que eram inócuos.

Hoje, quem quer ou precisa tomar lactobacilos no Brasil tem que importar ou adquiri-los em farmácias de manipulação, pagando sempre muito caro. Entretanto, curiosamente, outras bactérias benéficas contidas em fórmulas patenteadas por grandes laboratórios continuam à venda livremente em todas as farmácias.

Ao contrário do que querem nos fazer acreditar, os lactobacilos não são inócuos e existem vários trabalhos científicos demonstrando seus inúmeros benefícios. Estes trabalhos mostram, inclusive, que os lactobacilos corrigem a permeabilidade intestinal indiretamente, porque melhoram a disbiose. É muito comum que pacientes fiquem curados de enxaqueca tomando apenas lactobacilos. Não tenho a menor dúvida de que eles podem e devem ser tomados, até mesmo de forma preventiva, para a garantia de uma vida livre de doenças.

Além da cândida, um outro habitante bastante perigoso do intestino é o *Clostridium*. Já conhecemos o poder do *Clostridium difficile*, mas existem tipos ainda mais ameaçadores dessa bactéria que podem provocar inclusive a morte. É o caso do *Clostridium botulinum*, que causa o botulismo, doença felizmente muito rara entre nós nos dias de hoje.

A contaminação pelo *Clostridium botulinum* acontecia principalmente através de latas de alimentos contaminados. Depois que todo o ar da lata era consumido pelas bactérias aeróbicas, as bactérias anaeróbicas começavam a proliferar. O *Clostridium botulinum* era uma delas. Quando o oxigênio acabava, ele secretava sua toxina, infectando o alimento.

A morte provocada pelo *Clostridium botulinum* é muito trágica. A toxina provoca espasmos e um relaxamento total da musculatura e o fim chega com a incapacidade dos músculos respiratórios em executar suas funções. É uma ação muito semelhante àquela provocada pelo curare, veneno extraído da casca de alguns cipós, que os índios colocavam na ponta de suas lanças.

Um dado interessante sobre o *Clostridium botulinum* é que a sua toxina, apesar de ser considerada uma das mais violentas que existem, vem sendo utilizada com bons resultados na medicina para a cura de certas paralisias. Tem sido usada ainda na estética, na forma de um famoso medicamento injetável que está dissipando as rugas do rosto das mulheres. É uma prova inconteste da incrível capacidade da ciência para dominar a natureza, o que nem sempre pode ser considerado um dado positivo.

No caso do tratamento de combate às rugas, parece que os resultados são muito bons, a ponto de encorajar até alguns homens a experimentar essa forma de rejuvenescimento. Mas questiono a segurança de um tratamento de beleza no qual se injeta na pele uma toxina tão perigosa como a do *Clostridium botulinum*. Ainda que as doses sejam mínimas, elas têm que ser repetidas periodicamente para que seus efeitos se mantenham. Temo o que isso pode causar a longo prazo.

O *Clostridium* existe normalmente no cólon e quando, por qualquer motivo, consegue colonizar o intestino delgado, mais precisamente o íleo, pode criar uma disbiose muito séria. A bactéria provoca uma deficiência de vitamina B_{12}, gerando anemia, e ainda atua sobre os sais biliares, alterando sua estrutura. Isso pode provocar não apenas a formação de cálculos biliares, mas produtos cancerígenos. Também são conhecidas psicoses desencadeadas a partir da ação desta perigosa bactéria, capaz ainda de se combinar com o triptofânio e formar substâncias que não a serotonina.

É preciso lembrar ainda que quando o *Clostridium* baixa a serotonina, a produção da melatonina também diminui, causando distúrbios sérios. Entre muitas outras funções, a melatonina tem papel importante para a absorção do zinco, mineral fundamental também para a imunidade, que atua na formação das nossas células de defesa. Os vegetarianos têm problemas imunológicos com freqüência, justamente por não comerem alimentos ricos em zinco, como a carne vermelha, os peixes e os frutos do mar, principalmente.

Exercício de paciência

Recebi certa vez uma paciente, Suzana, que havia passado por diversos especialistas em busca de uma solução para as terríveis enxaquecas que lhe acometiam, pelo menos quatro vezes por semana. Os remédios que havia tentado não surtiam mais nenhum efeito e ela estava muito fragilizada por causa do problema. Sua vida profissional estava prejudicada, assim como a pessoal. Às vezes passava o dia inteiro no quarto, deitada e com as luzes apagadas.

Recomendei-lhe doses altas de lactobacilos, já suspeitando da cândida. Os lactobacilos funcionam muito bem quando a cândida coloniza o intestino delgado e aí passa a ser mais absorvida. Houve uma certa melhora, mas nada que a reanimasse de fato. Tentamos então os testes cutâneos e Suzana apresentou uma sensibilidade ao fungo muito retardada — 48 horas depois —, o que é típico da cândida. Resolvemos então começar um tratamento para diminuir essa sensibilidade.

Uma forma eficiente para a dessensibilização de bactérias nocivas é o mitridatismo, técnica cujo nome provém do rei grego Mitrídates. Segundo a lenda, Mitrídates tinha muito medo que seus inimigos o envenenassem e por isso costumava tomar pequenas quantidades de veneno, para que seu organismo se tornasse resistente a eles.

Certo dia um dos seus inimigos conseguiu fazer com que Mitrídates ingerisse um alimento envenenado, mas nada lhe aconteceu. Sua tática para tornar-se insensível aos venenos havia funcionado. Daí a origem do termo mitridatizar, que significa imunizar o organismo através da administração regular e sistemática de pequenas doses de uma toxina para provocar a resistência a ela.

O mitridatismo é o que se pode chamar de um verdadeiro exercício de paciência, tanto da parte de quem precisa ser dessensibilizado como da de quem administra as vacinas. O tratamento dura de seis meses a um ano, e as vacinas devem ser tomadas uma vez por semana. Suzana começou com uma suspensão bem diluída, com uma parte de extrato de cândida para um milhão de soro.

Como em todos os casos, o aumento da dose depende da reação do paciente. Se não houver reação na pele, a dose seguinte é sempre maior na concentração da cândida. Se alguma reação for notada, é preciso voltar para a concentração anterior. O sucesso do tratamento depende muito da disciplina de quem se submete a ele, mas Suzana era bastante disciplinada e não deixou de tomar sequer uma dose das suas vacinas. No final de seis meses, sua enxaqueca havia praticamente desaparecido.

O mitridatismo é muito utilizado para combater a sensibilidade à cândida, mas também funciona bem com o *streptococus*, que faz com que as pessoas sensíveis a ele tenham infecções constantes de garganta. É usado ainda para a brucela, que provoca a brucelose e é muito encontrada no leite de vaca não fervido, e o toxoplasma, presente nas carnes malpassadas, embora o maior meio de contaminação dos seres humanos por essa bactéria seja o gato doméstico.

De uma forma geral, a dessensibilização para as bactérias intestinais apresenta resultados tão bons quanto aqueles obtidos com os alergenos respiratórios, para os quais são usados com mais freqüência.

A razão das úlceras

Uma outra bactéria que dá bastante trabalho é o *Helicobacter pilori*, envolvida na doença infecciosa mais comum no mundo depois da cárie dental: a úlcera. No estômago ou no duodeno, as úlceras são causadas pelo excesso de ácido clorídrico. Para se ter uma idéia do potencial destruidor deste preparado orgânico, basta saber que ele é capaz de dissolver o ferro.

A forma que a natureza encontrou de abrigar uma secreção tão perigosa quanto o suco gástrico no estômago foi prover o órgão de uma produção bem maior de muco em suas paredes. O muco é um líquido espesso produzido pelas glândulas do sistema gastrintestinal que recobre internamente todo o tubo digestivo para protegê-lo e facilitar a passagem dos alimentos.

Em condições normais, o muco protege bem o estômago e o duodeno da extrema acidez do suco gástrico, que é composto de enzimas e do ácido clorídrico. Mas basta uma pequena falha para que este ácido quebre a barreira protetora e atinja a mucosa, provocando as úlceras, que são como feridas difíceis de cicatrizar.

Antigamente acreditava-se que as úlceras eram conseqüência do estresse. De fato, os corticóides, cuja secreção aumenta diante do estresse, ativam a produção do ácido clorídrico. Dessa forma, as úlceras eram vistas como doenças psicossomáticas, e o que se recomendava aos pacientes, além de evitar alimentos ácidos, era o divã do analista. Mas a verdade é que nenhum tratamento com esse enfoque conseguiu aliviar os problemas dos que sofriam de úlcera.

Até que alguns cientistas perceberam que a bactéria presente nas lesões ulcerosas era sempre a mesma, o *Helicobacter pilori.* Logo se perguntaram por que apenas ela, e não outras, proliferava naquele tecido, já que até então se acreditava que as bactérias chegavam depois que as feridas já estavam desenvolvidas. As pesquisas foram avançando até que foi comprovada a decisiva participação do *Helicobacter* nas úlceras. Hoje, o estresse e a ansiedade não são vistos como causas das úlceras e sim como conseqüências delas.

O *Helicobacter* é um dos poucos microorganismos que conseguem sobreviver no ambiente excessivamente ácido do estômago e certamente sua atuação se dá sobre a gastrina, um hormônio que aumenta a formação do ácido clorídrico. Hoje, a úlcera também é reconhecida como um distúrbio muito ligado à deficiência de antioxidantes e à imunidade, pois quem tem uma alimentação pobre em antioxidantes tem mais tendência à infecção pelo *Helicobacter*.

Além de muita dor, a úlcera pode causar sangramentos na cavidade intestinal e até perfuração do órgão. Quando não se conhecia o envolvimento do *Helicobacter*, quem tinha úlcera vivia de dieta e os casos mais graves precisavam ser operados. Também se usava dar muito leite para diminuir as dores causadas pela úlcera, o que hoje se sabe ser inócuo. O leite de fato alivia a dor, mas o efeito é apenas momentâneo, pois a bebida acaba aumentando a secreção de ácido clorídrico, fazendo com que a dor volte.

Depois que o envolvimento do *Helicobacter* foi confirmado na úlcera, até os diagnósticos ficaram mais simples. Em vez de endoscopias, o problema pode ser diagnosticado com exames de sangue, onde se pesquisa a presença de anticorpos para a bactéria, ou por um teste de sopro simples. Como o *Helicobacter* forma CO_2 desdobrando a uréia, tudo que se faz é dar para o paciente uréia com carbono marcado. O ar expelido será analisado por aparelhos especiais que vão detectar ou não o CO_2 marcado.

Recentemente, alguns estudos estão relacionando o *Helicobacter pilori* com problemas coronarianos. A bactéria também vive na boca e reproduz-se em periodontites. Dessa forma, passa para a corrente sangüínea e pode atingir o coração.

Várias pesquisas, inclusive algumas desenvolvidas no Brasil, demonstram que pessoas que apresentam periodontites têm mais probabilidade de apresentar problemas coronarianos.

Hoje ainda se evitam alimentos ácidos na dieta de quem tem úlcera, mas o forte do tratamento é a administração de antibióticos, para matar o *Helicobacter*, associados ao pepto-bismol, substância à base de bismuto, que potencializa a ação do antibiótico. Essa substância, que antigamente era usada para combater a sífilis, é pouco absorvida e por isso dá bons resultados no tratamento de úlceras, gastrites e demais problemas intestinais.

Entretanto, a utilização do bismuto vem sendo questionada por mais de 100 trabalhos científicos recentemente publicados. Eles verificaram a relação deste metal com insônia, convulsões e outros problemas neurológicos. Até mesmo alguns produtos para embelezar a pele feminina que contêm bismuto têm sido apontados como causadores de intoxicação. É possível, portanto, que muito em breve a utilização do metal comece a ser contra-indicada pelos médicos nos casos de úlcera.

Estudos recentes demonstraram que o *Helicobacter* aumenta muito a formação de radicais livres e por isso os antioxidantes atualmente estão sendo associados com excelentes resultados aos tratamentos de úlcera. Já se verificou que a vitamina C e a vitamina E são capazes de impedir a reinfecção pelo *Helicobacter*. O dimetilsulfóxido, que é um extrato de alho e cebola, também é muito eficiente para este fim.

Na verdade, muitos medicamentos utilizados hoje para úlceras ou gastrites nada mais são do que antioxidantes, embora não sejam apresentados como tal pelos laboratórios que os fabricam. No Brasil, ainda é interessante para as grandes indústrias farmacêuticas perpetuar a idéia de que os antioxidantes não têm eficácia, relacionando-os ao que se habituou chamar pejorativamente no Brasil de "medicina natural".

É assim que os interesses dos grandes laboratórios, aliados à resistência de parte dos médicos brasileiros às inovações, mesmo as de eficácia já comprovada nos centros de produção científica, acabam por criar situações que em nada contribuem para alcançarmos no Brasil um modelo de medicina moderno e preventivo.

9

Um Centro Imunológico

Ainda que nada do que sabemos agora sobre o intestino tivesse sido descoberto, apenas a sua importância para a nossa imunidade justificaria a grande curiosidade que o órgão vem despertando nos pesquisadores médicos nos últimos anos. É impressionante que o intestino responda por 80% do nosso potencial imune, e todos devemos ficar muito atentos para esse dado, pois a imunidade é um dos maiores alicerces da boa saúde.

Para entender como tudo acontece, é preciso antes conhecer um pouco sobre o sistema imunológico, um tema bastante complexo em que nem todos os mecanismos são completamente conhecidos. Justamente por isso a imunologia é a especialidade médica onde existem mais correntes diferentes de tratamento.

Contamos com dois tipos de linfócitos, que são as células responsáveis pela nossa imunidade: os linfócitos T, que provêm da glândula timo, localizada no pescoço, e os linfócitos B. Os primeiros são responsáveis pela imunidade celular, muito úteis nas viroses. Já os linfócitos B são aqueles que vão formar os plasmócitos que por sua vez formarão os cinco tipos de anticorpos com os quais contamos para a defesa do organismo.

Os linfócitos B são assim chamados porque eles foram primeiro identificados na bursa das aves, região próxima à cauda desses animais. Embora o homem não tenha bursa, a letra B acabou sendo escolhida para diferenciar esses linfócitos, como uma referência à bursa.

Vários pontos do organismo produzem os linfócitos B, mas é na mucosa intestinal o lugar onde acontece a maior produção deles. No que se refere à imunidade, é possível dizer que o intestino é para nós o que a bursa é para as aves. Portanto, quando o intestino não vai bem, nossas defesas podem ser afetadas.

Os linfócitos B produzem cinco tipos de anticorpos, ou imunoglobulinas, cada um com sua função. A IgA é o anticorpo da imunidade local, e cada órgão do organismo tem a sua própria IgA. No pulmão, por exemplo, quando o nível de IgA está baixo, podem acontecer bronquites e pneumonias de repetição. No intestino, IgA baixa é uma boa chance para as amebas e demais parasitas crescerem e se multiplicarem.

A IgE é o anticorpo que se mostra mais aumentado nas pessoas que vivem com problemas alérgicos, enquanto que a IgD é um anticorpo que produzimos em quantidade muito pequena, sobre o qual ainda se conhece muito pouco. Por fim, temos a IgG, que são os anticorpos em geral, e a IgM, que são os anticorpos da fase aguda de uma doença.

Ainda que os testes envolvendo anticorpos sejam hoje fundamentais para a definição de muitos diagnósticos, tudo que diz respeito à imunidade ainda é um pouco misterioso para a medicina e por isso não é simples combater certos processos alérgicos. Por isso é importante conhecer o papel do intestino em nosso sistema imunológico. Cuidando bem do trato intestinal, certamente estaremos mais bem protegidos das alergias.

Um exemplo infelizmente bem comum de como o intestino é capaz de provocar alterações no sistema imunológico é o resultado da agressão da sua mucosa, que é onde são fabricados os anticorpos, por minerais pesados. O mercúrio, assim como o chumbo, pode danificar a parede intestinal e provocar toda sorte de alergias.

São muitos os casos de intoxicação com mercúrio que já tive a oportunidade de conhecer. Um dos mais interessantes foi o de um jovem senhor que chamarei de Augusto. Ele começou a apresentar insônia e disfunções intestinais, com dores e prisão de ventre. Surgiu em seguida uma forte alergia, cuja origem, segundo testes que fez, eram os pêlos dos três gatos com que dividia seu apartamento há mais de dez anos.

Augusto achou muito estranho que tudo aquilo estivesse acontecendo de repente e chegou a mim decidido a fazer um mineralograma, também conhecido como teste do cabelo, que dosa as quantidades de minerais presentes no organismo. Como meu paciente há muitos anos, Augusto já havia se tratado no passado de uma intoxicação com alumínio e achava que o mineralograma poderia ajudar a descobrir o que estava se passando com ele.

O resultado do teste apontou níveis brutais de mercúrio em seu organismo. Comparamos o resultado com o mineralograma que Augusto havia feito no ano anterior e o aumento do metal era assustador. Como estudo há muitos anos os malefícios da intoxicação por mercúrio, perguntei-lhe se havia alterado algum hábito de vida nos últimos meses. Augusto então me contou que havia modificado a sua dieta desde que seu irmão mais velho havia detectado um pequeno tumor na próstata. Com medo que o mesmo acontecesse com ele, passou a consumir grande quantidade de tomate, alimento rico em licopeno, que protege a próstata.

Para mim, não havia mais dúvidas quanto à origem da intoxicação. Principalmente quando Augusto me disse que preferia os tomates bem grandes, que acreditava serem mais benéficos para a proteção do câncer de próstata. Infelizmente, o tomate é um dos alimentos mais contaminados com mercúrio, por causa da forma como é cultivado no Brasil. Augusto me contou que havia inclusive substituído o suco de laranja da manhã pelo suco de tomate.

Recomendei a Augusto zinco e selênio, além de alguns medicamentos homeopáticos, para combater a intoxicação. O tratamento não é tão rápido quanto desejaríamos, mas aos poucos os sintomas foram desaparecendo. Cerca de quatro meses depois, repetimos o exame e o nível de mercúrio já estava bem menor. Os sintomas alérgicos também diminuíram gradualmente até desaparecerem por completo. Felizmente, Augusto pôde continuar convivendo com seus gatos, já que a causa original da alergia não eram seus pêlos, mas sim os níveis altos de mercúrio em seu organismo.

Outra grande modificação na vida de Augusto foi em relação à escolha dos alimentos. Ele aprendeu que a aparência dos vegetais não significa nada e, na maioria das vezes, quanto maiores e bonitos mais contaminados eles estão com agrotóxicos.

10

As Alergias Alimentares

Sintomas alérgicos são fáceis de reconhecer, como as coceiras na pele, a coriza e os espirros. Mas existe uma série de outros sinais que também são uma resposta do nosso sistema imunológico que normalmente não é reconhecida como tal. Olheira, enxaqueca, dor nas articulações, cansaço e gastrite são apenas alguns desses sintomas, envolvidos numa questão da maior importância, mas que ainda não recebeu a atenção que merece: a alergia aos alimentos.

Pouco estudada no Brasil, a alergia alimentar não acontece apenas quando comemos pratos exóticos, como algumas pessoas acreditam. Podemos nos tornar alérgicos até mesmo a um alimento que sempre fez parte da nossa dieta. Na verdade, estatísticas comprovam que os alimentos mais alergênicos são aqueles mais consumidos. Nos Estados Unidos, o alimento que mais freqüentemente provoca a alergia alimentar é o amendoim, que os americanos adoram. No Brasil, os mais alergênicos são o leite, o ovo, a soja, o trigo, os frutos do mar e as frutas cítricas, que tanto consumimos.

Distúrbios gastrintestinais são os sintomas mais reconhecíveis de uma alergia alimentar, mas o espectro dessas alergias é grande. E o maior problema é que nem sempre suas reações são imediatas, o que faz com que muita gente conviva por toda a vida com sintomas incômodos sem suspeitar que eles são causados por um alimento. Recentemente, até comprometimentos neurológicos, psiquiátricos e comportamentais estão sendo relacionados às alergias alimentares.

As razões pelas quais as pessoas tendem a desenvolver alergia a alimentos muito presentes em suas dietas passam, mais uma vez, pelo aumento da permeabilidade intestinal. Quando se consome mais vezes um determinado alimento, por uma simples questão de probabilidade ele terá mais chances que os outros de ultrapassar a barreira da mucosa intestinal, quando ela está mais permeável, e poderá se transformar em um corpo estranho ao organismo.

Normalmente, é a proteína do alimento que ativa o nosso sistema imunológico, provocando a alergia. E quanto maior a molécula, mais alergênica ela será. Entretanto, além da alergia, existe uma outra reação adversa aos alimentos, conhecida como intolerância alimentar, que ocorre quando o organismo encontra dificuldade em digerir um determinado componente do alimento. Esse tipo de reação adversa acontece muito freqüentemente com o leite, tanto em crianças como em adultos.

O leite, aliás, é um bom exemplo de alimento que pode provocar tanto a alergia quanto a intolerância alimentar. Muitas pessoas não compreendem por que se sentem mal quando tomam leite, mas nada acontece quando comem um pedaço de queijo. O que acontece é que o leite pode provocar dois tipos de reação adversa: a alergia ou a intolerância. Neste último caso, o que existe é uma deficiência de lactase, que é a enzima que hidrolisa a lactose, o açúcar do leite, não encontrado no queijo. Por isso a ingestão da bebida é seguida de cólicas, gases ou diarréias. Já quem reage ao queijo certamente tem alergia às proteínas do leite, que são a caseína, a lactalbumina e a lactoglobulina.

Outras vezes não se é alérgico à proteína de um alimento, mas sim a um derivado dessa proteína, geralmente um tri ou tetrapeptídeo. A proteína é parcialmente degradada no organismo e é esse degradado que vai provocar a alergia. Essa é uma das razões da dificuldade de diagnóstico para uma alergia alimentar, pois os exames de sangue não conseguem identificar esses degradados.

Trabalhei alguns anos ao lado de uma das maiores autoridades em alergias no Brasil, o prof. Oliveira Lima, já falecido. Seu trabalho foi realmente muito importante e por isso fiz questão de homenageá-lo, dando ao anfiteatro da clínica onde trabalho o seu nome. O prof. Oliveira Lima certa vez lançou uma idéia interessante para identificar essas alergias: que se colocasse o paciente sob uma dieta altamente alergênica, permitindo que comesse todos os alimentos que possivelmente lhe causariam alergia. Depois, a partir do sangue do paciente, se faria uma vacina individual, já que os degradados das proteínas estariam ali facilmente identificáveis.

Infelizmente, a idéia não foi levada adiante, mas considero-a muito interessante. Não quero dizer, contudo, que os exames de sangue sejam completamente inúteis para a identificação de uma alergia alimentar. Ao contrário, eles são muito importantes, mas é preciso lembrar que os resultados desses exames não podem ser considerados como a última palavra para um diagnóstico.

Muitas vezes, a dificuldade de se conseguir identificar a causa de uma alergia faz com que o paciente continue consumindo o alimento a que é alérgico. Com isso, sua permeabilidade intestinal acaba sendo afetada. O fato é que estão crescendo nos consultórios as queixas de reações adversas a alimentos e a complexidade da alimentação moderna certamente tem muito a ver com isso.

Em grande parte das queixas, é difícil saber se trata-se de um mecanismo imunológico de fato ou de uma intolerância alimentar. Entretanto, em um ou outro caso, as soluções de tratamento são quase sempre as mesmas. Por causa disso, e também para não complicar ainda mais uma questão já bastante complexa, convencionou-se chamar a ambos os mecanismos de alergia alimentar.

O que é a alergia

Uma alergia nada mais é do que um exagero da resposta do nosso sistema imunológico. Assim como podemos ter baixas de imunidade, que são as imunodeficiências, temos também o exagero de imunidade, que são não apenas as alergias, mas também as doenças de auto-agressão.

Nosso corpo conta com várias barreiras de defesa para manter-se íntegro. A pele é a mais externa, mas há várias barreiras internas também. O intestino, por exemplo, conta não apenas com a sua IgA local, mas também com as bactérias benéficas que lá vivem. Essas barreiras servem para defender o órgão da invasão de substâncias estranhas, ou antígenos, sejam eles uma bactéria, um vírus, um fungo ou um alimento.

Em todo o organismo, sempre que as barreiras locais não conseguem dar conta do trabalho, entram em ação as células de defesa, que são os glóbulos brancos do sangue, também chamados de leucócitos. Um tipo deles, os neutrófilos, são os primeiros a serem recrutados pelo sistema imunológico. Quando uma farpa fura um dedo, são os neutrófilos que vão para o local combater as bactérias que invadiram a pele.

Através do processo da fagocitose, em que uma célula engloba e "come" a outra, os neutrófilos acabam com as bactérias e depois morrem, transformando-se em pus. Os neutrófilos matam os antígenos sem saber quem eles são e por isso fazem um tipo de defesa chamado defesa inespecífica.

Mas há casos mais complicados, em que a ação dos neutrófilos não é suficiente para dar conta do corpo estranho. Outro tipo de glóbulos brancos entra em ação, num esquema de defesa bem mais sofisticado, formando a chamada resposta imunitária específica. Neste esquema, uma célula especial, conhecida como "célula apresentadora de antígenos", vai destruir o invasor, quebrando-o em pedaços mínimos para apresentá-lo a todas as outras células do sistema imunológico, recrutando-as contra o invasor.

A partir disso, os linfócitos vão fazer uma "memória" para aquele antígeno, que será sempre reconhecido cada vez que entrar no organismo através dos marcadores de superfície dos linfócitos. Todas as células possuem marcadores de superfície para lhes dar indentidade, mas nos linfócitos eles servem também para a intercomunicação do sistema imunológico. Como num sistema de "chave e fechadura", as mensagens são replicadas entre as células, ativando sua reprodução.

Assim, quando um linfócito B recebe informações sobre uma seqüência de moléculas de um antígeno, ele vai se multiplicar e se diferenciar numa célula chamada plasmócito, para produzir os anticorpos, ou imunoglobulinas. Em seguida, esses anticorpos só vão funcionar contra aquele microorganismo específico, não se encaixando em nenhum outro.

Parte desses linfócitos, entretanto, serão reservados e agirão somente quando acontecer um segundo contato com aquele mesmo antígeno. Quando isso acontecer, eles se reproduzirão com muita rapidez, produzindo anticorpos numa quantidade muito grande para provocar uma imunidade muito mais duradoura e muito mais potente.

Tudo acontece ao mesmo tempo numa reação imunológica: a ativação dos receptores e das células, a multiplicação delas, suas alterações morfológicas etc. Isso vai provocar alterações bioquímicas em nível celular e reações inflamatórias muito grandes no organismo. É por essa razão que a alergia atualmente é considerada uma doença inflamatória, que apresenta sintomas e requer tratamento.

Existem quatro mecanismos imunológicos e, no caso da alergia alimentar, dois são importantes: o primeiro é o de hipersensibilidade do tipo I, que é medido pelos níveis de IgE no sangue. Trata-se daquele mecanismo clássico da alergia em que a reação acontece 15 ou 20 minutos após a ingestão do alimento. Normalmente, essa reação se dá pela liberação da histamina, provocando reações como coceira, coriza e edema das mucosas.

O outro mecanismo imunológico envolvido na alergia alimentar é o do tipo IV, que é aquele de efeito retardado e que pode dificultar o diagnóstico. Pessoas que têm alergia ao glúten e não sabem disso, por exemplo, podem comer trigo e três dias mais tarde apresentarem uma diarréia. Este tipo de hipersensibilidade também é comum com produtos químicos e alguns metais, como o níquel. É por isso que muitas pessoas apresentam reações a bijuterias, das quais a mais comum é a inflamação de orelhas causadas por brincos.

As outras reações imunológicas são as do tipo II, que são as citotóxicas, e a reação do tipo III, que envolve a formação de imunocomplexos e pode dar origem às doenças de auto-agressão. Embora as alergias alimentares estejam relacionados aos tipos I e IV das reações imunológicas, elas também indiretamente favorecem a reação do tipo III, já que o aumento da permeabilidade intestinal, cuja maior causa são as alergias alimentares, facilita a formação dos imunocomplexos.

Estranhos sintomas

Há muitos anos, recebi como paciente um menino de quatro anos que tinha convulsões constantes e que por isso tomava doses brutais de gardenal. Nessa época, eu estudava as alergias alimentares ao lado do prof. Oliveira Lima e sabia que o primeiro passo no tratamento daquele menino seria retirar de seu consumo alimentos alergênicos como leite, queijos, frutas cítricas e trigo. Mas decidi começar retirando apenas o leite de vaca, que era o alimento que o meu pequeno paciente mais consumia. Surpreendentemente, o menino ficou bom e nunca mais teve convulsões.

Outro caso interessante que conheci foi o de um senhor que havia chegado a um ponto crítico. Ele estava aprisionado dentro de casa por cólicas e diarréias freqüentes, que o impediam de ir à rua. Pensou-se numa parasitose e várias medidas foram experimentadas, mas nada surtia resultados. Ninguém pensava que o problema poderia ser causado pelo leite, já que este senhor consumia o alimento desde criança. Mas o fato é que decidiram cortar o leite da sua dieta e ele ficou absolutamente curado.

Sob a ótica das alergias alimentares, é possível encontrar novas estratégias de tratamento até mesmo para alguns distúrbios antes considerados sem solução, e muitas experiências interessantes vêm sendo desenvolvidas em alguns países sobre alergia alimentar. Há poucos anos, um pesquisador norte-americano chamado Feingold estudou um grupo de crianças com hiperatividade e estabeleceu para elas uma dieta livre de quaisquer alimentos que contivessem aditivos químicos em seu preparo. O resultado do estudo foi que as crianças obtiveram uma melhora muito grande no seu aproveitamento escolar após a dieta.

O estudo de Feingold, na verdade, acabou por comprovar o alerta que vem sendo feito já há algumas décadas a respeito dos alimentos industrializados e aditivados: eles são de fato mais práticos e, para muitos paladares, mais gostosos que os alimentos naturais, mas não fazem bem à saúde. E no caso das alergias alimentares, esse mal nem sempre é relacionado de pronto com o alimento que o provocou.

Há uma série de estudos interessantíssimos que demonstram o alcance das alergias alimentares, inclusive em distúrbios psiquiátricos. Já existe comprovação científica de que pelo menos 20% dos esquizofrênicos possuem anticorpos para a gliadina, que é a proteína do trigo. Também é freqüente a incidência de anticorpos IgE para o ovo em pacientes deprimidos.

Recentemente, também nos Estados Unidos, foi realizado um teste de provocação com esquizofrênicos e deprimidos. Neste tipo de teste, submete-se o paciente a substâncias potencialmente alergênicas, para que as reações possam ser observadas. O estudo demonstrou que a capacidade de atenção daqueles pacientes diminuía muito quando eram submetidos às proteínas do leite e do trigo.

A enxaqueca é outro sintoma muito ligado às alergias alimentares. Um levantamento realizado através de testes sangüíneos em pacientes que sofrem desse problema descobriu que era muito freqüente neles a alergia a ovos, leite, trigo, queijo e café, alimentos consumidos com muita freqüência. Por isso, a alergia alimentar, tanto quanto a cândida, é uma possibilidade que sempre considero quando recebo um paciente que sofre de enxaqueca.

Um outro trabalho norte-americano sobre alergia alimentar e distúrbios neurológicos descobriu que os quadros de epilepsia podem ser agravados por causa deste tipo de alergia. Em pessoas que tinham convulsões freqüentes, apenas a retirada de substâncias alergênicas da dieta conseguia reduzir em até 60% as convulsões.

A alergia alimentar pode causar ainda uma baixa de glicemia no sangue, chamada hipoglicemia reacional, que muitas vezes é confundida com a ausência, sintoma de uma forma branda de epilepsia, em que se perde os sentidos. Há pacientes que chegam a ser tratados com antiepiléticos, quando na verdade o que eles têm é uma alergia alimentar. Esta mesma hipoglicemia reacional como reação a uma alergia alimentar pode causar cansaço, arritmia cardíaca, comportamento agressivo e irritabilidade.

Um outro aspecto da alergia alimentar que vem interessando a muita gente é a sua participação no ganho de peso. Na verdade, até quem come pouco pode engordar, caso seja alérgico a um dos alimentos que consome. Isto porque o ganho de peso é uma das conseqüências da alergia alimentar, através do já conhecido processo do aumento da permeabilidade intestinal. Quanto mais permeável a mucosa, mais absorção acontece, inclusive das substâncias que engordam.

Por que nos tornamos alérgicos a um alimento?

Não estão ainda completamente decifrados os mecanismos que fazem com que nos tornemos alérgicos a um alimento, mas não há dúvida de que o intestino exerce um papel importante nesta questão. Uma boa forma de compreender isso é através do que acontece com os bebês que começam a consumir o leite de vaca muito cedo.

Ao contrário do leite humano, o leite de vaca modifica a flora intestinal do bebê e, com isso, é muito provável que a permeabilidade do seu intestino seja afetada. Se este mesmo bebê ingerir um pedacinho de amendoim aos seis meses de idade, por exemplo, uma macromolécula deste alimento pode passar pela barreira do intestino. Será então captada pela célula apresentadora de antígenos, que por sua vez vai apresentar este antígeno aos linfócitos, que produzirão IgE para o amendoim.

Estes anticorpos para o amendoim podem se localizar em diversos pontos do organismo da criança, entretanto o mais comum é que se fixem na pele. Alguns anos depois, quando a mesma criança comer amendoim novamente, apresentará uma reação cutânea.

Em adultos, uma alergia alimentar pode surgir depois de um tratamento prolongado com antibióticos, que afetam a permeabilidade e permite que uma proteína alergênica invada a corrente sangüínea. É claro que uma boa digestão evitará que isso aconteça, mas se o trabalho digestivo do organismo não está bom e a permeabilidade do intestino está aumentada, são grandes as chances para a instalação de uma alergia alimentar.

Outro fator que deve ser considerado é o estresse. Já foi comprovado que o estresse pode agravar a alergia alimentar, abaixando os níveis de IgA intestinal. Isso porque no estresse existe uma liberação alta de cortisol, que tem o poder de diminuir a formação das imunoglobulinas. A má alimentação também pode diminuir a quantidade dessas substâncias que conferem a imunidade local ao intestino. Felizmente a imunidade intestinal já pode ser medida, através da dosagem de IgA na saliva. Este teste é de grande valia, pois fornece uma idéia de como estão as nossas defesas intestinais.

Quanto às intolerâncias alimentares, elas podem acontecer por motivos outros além da deficiência de produção de enzimas pelo organismo. Muitas substâncias contidas na alimentação moderna são responsáveis por casos de intolerância. Os nitritos, que foram primeiro adicionados à carne vermelha para evitar a infecção pelo botulismo, são um exemplo. Como tornam a carne mais bonita, eles são utilizados exageradamente, tornando mais comuns os casos de intolerância. Neste caso, o perigo é dobrado, pois os nitritos, quando se combinam com as proteínas, formam as nitrosaminas, que são substâncias potencialmente cancerígenas.

Infecções intestinais provocadas por parasitoses também podem fazer com que o organismo passe a reagir com diarréias a certos alimentos, especialmente o leite. Isso porque giárdias e outros parasitas destroem as enzimas que processam a lactose. É o que se chama de intolerância adquirida, que em geral é transitória e pode ser revertida depois de um certo tempo. O ideal é deixar de tomar leite por um período, para que o organismo retome a produção da enzima necessária ao processamento da lactose.

O fato inegável é que a nossa alimentação está cada vez mais complexa, mais industrializada e mais aditivada, e por isso as queixas de reações adversas têm sido bastante freqüentes. A alimentação natural perde terreno dia a dia para os sanduíches, refrigerantes, biscoitos e todo tipo de *junk-food*. E o pior é que até os lugares onde a boa alimentação deveria ser uma prioridade já se renderam aos alimentos industrializados.

É o que acontece nas cantinas das escolas. Considero um verdadeiro crime o fato de esses lugares não se preocuparem em vender lanches saudáveis, o que deveria ser o propósito de um lugar onde as crianças se alimentam. É realmente uma pena que poucas escolas se preocupem com esta questão tão importante.

Diagnóstico e tratamento

A alergia alimentar é uma questão complexa do início ao fim. A começar pelo fato de que as pessoas nem sempre se dão conta de que são alérgicas a um alimento. Muitas até desconfiam, mas acham que os sintomas não evoluirão e por isso não se preocupam. E nos casos em que se procura o tratamento, nem sempre ele é fácil. Quem descobre ser alérgico a trigo, por exemplo, vai encontrar dificuldades, pois praticamente todos os alimentos contêm trigo. O mesmo se verifica em relação ao ovo e ao leite de vaca, ainda que existam hoje muitas opções substitutas dessa bebida.

Entretanto, quem desconfia de uma alergia alimentar não deve se abater por essas dificuldades. É muito importante fazer o diagnóstico para saber a que tipo de alimentos se é alérgico, para então eliminá-los da dieta. Ainda que o tratamento exija força de vontade, os resultados certamente serão compensadores.

Quanto aos testes cutâneos para detectar a alergia aos alimentos, estes também apresentam alguns problemas. Ao contrário daqueles que detectam alergias a fungos, poeira e ácaros, os testes de alergia alimentar não estão padronizados internacionalmente. Isso porque os alimentos que consumimos não são tão estáveis quanto a poeira e o ácaro, e sofrem mudanças em função do calor, da luminosidade e tudo o mais. Além disso, em algumas pessoas de pele muito sensível, eles não resolvem.

Existe na verdade uma bateria enorme de testes sangüíneos para a alergia alimentar, mas, a fim de obter resultados satisfatórios, é preciso fazer muitos desses testes, o que torna o diagnóstico muito caro, além do fato de eles não detectarem as alergias aos degradados de proteínas. Há ainda um outro problema importante: os exames de sangue podem detectar a alergia alimentar, mas não detectam a intolerância alimentar.

Por isso foram desenvolvidas outras estratégias para detectar a alergia ou a intolerância alimentar, como a aplicação de dietas especiais. Apesar de trabalhosas, essas dietas são muito interessantes e dão ótimos resultados. Ultimamente, vem se dando muita importância para as dietas de eliminação, em que se retiram todos os alimentos potencialmente alergênicos.

Leite, queijos, ovos, laranja e trigo são os alimentos principalmente retirados nas dietas, que duram de cinco a sete dias. Depois, eles vão sendo introduzidos aos poucos e isoladamente, para que a reação a cada um deles possa ser observada no paciente. Se os sintomas voltarem a aparecer, confirma-se a natureza da substância alergênica.

Uma opção a esse método é a dieta hipoalergênica, que usa pouquíssimos alimentos: arroz, batata, verduras, óleo de canola e de oliva, frutas, com exceção das cítricas, e carne de rã. Algumas dessas dietas são bem drásticas e fazem com que os pacientes se alimentem apenas com líquidos, para que depois os demais alimentos possam ser introduzidos e as reações observadas.

Partindo da premissa de que nos tornamos alérgicos aos alimentos que mais consumimos, foi criada uma dieta em que o paciente deve ingerir apenas aqueles alimentos que nunca come. Dessas, ficou famosa nos Estados Unidos a *pear lamb diet*, em que se come apenas peras e carneiros, alimentos que normalmente os norte-americanos não consomem. De fato, as pessoas melhoram espetacularmente com essa dieta.

Outro tipo de dieta utilizada para detecção do alimento alergênico trabalha com o que se chama de "famílias de alimentos". Alguns alimentos se comportam da mesma forma sob o ponto de vista alergênico e isso permite a criação de um novo critério alergênico para a nossa alimentação.

O resultado prático disso é uma dieta bastante interessante, mas muito trabalhosa, conhecida pelo nome de dieta rotativa. Ela é aplicada em quatro dias, em média, e funciona da seguinte forma: no primeiro dia, o cardápio é composto de uma ave, que pode ser peru, galinha, ganso, codorna ou faisão, que fazem parte da mesma família. Acompanham sucos frescos de frutas ou vegetais. No segundo dia, come-se outros alimentos, que fazem parte de novas famílias.

A dieta é acompanhada de observação. Quem demonstra alergia ao pepino, por exemplo, certamente tem alergia também ao tomate e à melancia, pois todos pertencem à mesma família. Outros exemplos de alimentos que pertencem à mesma família são a soja e o amendoim, o trigo, o centeio, o milho e o arroz. Há também a família composta pelo porco, coelho e vitela, e ainda a que reúne o feijão, a ervilha, o amendoim, a lentilha e a soja. No total, são mais de 30 famílias para detectar a alergia alimentar.

Como se percebe, as dietas representam um pouco de trabalho, mas certamente valem a pena. Livrar-se de uma alergia alimentar representa um ganho muito grande para a qualidade de vida. O que não se deve fazer, definitivamente, é ignorar o problema.

A verdade é que este tema é ainda um conhecimento muito complexo e o tratamento da alergia alimentar é quase sempre um desafio. Tal fato demonstra que ainda não estamos tão próximos como gostaríamos de entender tudo que se passa no sistema gastrintestinal humano.

11

O Intestino Feminino

Não sei se porque se preocupam mais com as questões referentes à saúde, as mulheres são bem mais numerosas que os homens na minha clientela e na de muitos médicos que conheço. E entre as pacientes que me procuram, mais da metade chega ao consultório com queixas ligadas a distúrbios gastrintestinais.

De fato, as mulheres parecem mesmo ser mais vulneráveis a problemas deste tipo do que os homens, haja vista a grande quantidade das que sofrem com prisão de ventre. A questão é que, como as mulheres sempre conviveram com esta alteração, não dão a ela a atenção que deveria merecer.

Há várias teorias que tentam explicar por que as mulheres desenvolvem uma relação complicada com a sua própria evacuação. A primeira é que elas normalmente "beliscam" mais do que os homens, são mais gulosas e consomem mais carboidratos, o que pode desequilibrar a flora intestinal e provocar a prisão de ventre.

Principalmente no período pré-menstrual, muitas mulheres apresentam uma súbita avidez por carboidratos. Há casos em que chegam a engordar de meio a cinco quilos nesse período. Com isso, há uma propensão bem maior de acontecer o desequilíbrio da flora intestinal e a disbiose.

Outras correntes relacionam a prisão de ventre feminina a uma histórica necessidade de asseio, já que a limpeza da mulher sempre foi um critério de seleção importante em qualquer sociedade. No passado, da limpeza feminina dependia, inclusive, a sua vida. Milenarmente, criou-se a idéia de que a mulher sem asseio pode ter morte puerperal.

Segundo uma antiga lenda européia, um homem deveria escolher entre três candidatas aquela com quem se casaria servindo-lhes uma mesa de queijos. Era então alertado por seu avô: aquela que comesse o queijo com a casca não servia para esposa, pois essa atitude demonstrava que ela não era asseada o bastante. Portanto, o homem não deveria se casar com aquela mulher.

Há ainda a questão das peculiaridades da personalidade feminina. A mulher tem menor tolerância à frustração, é mais perfeccionista, tem mais sensibilidade à crítica. É muito importante para ela parecer limpa, não fazer barulho de gases, não deixar cheiro desagradável no banheiro. Ao contrário dos homens, que em geral não se deixam incomodar por essas questões. Pouca gente sabe, mas a mulher tem o olfato muito mais desenvolvido do que o homem.

Existem muitos relatos de mulheres, consideradas bruxas no passado, que diagnosticavam pelo cheiro as doenças das crianças e depois iam buscar na selva as plantas que precisavam para curá-las. Esse é um dado genético da mulher, mais preparada para perceber sintomas e sinais nas crianças e na natureza do que os homens. É por isso que até hoje muitas mulheres se utilizam do seu olfato para diagnosticar alguma alteração na saúde dos seus filhos, como uma febre ou dor de garganta.

Hoje podemos acrescentar a esses dados a disseminação do uso da pílula anticoncepcional. Além de facilitar o aumento da permeabilidade intestinal, a pílula provoca a perda da vitamina B_6, também envolvida na formação da serotonina. É sem dúvida mais uma razão para o fato de a mulher apresentar mais depressão, que por sua vez aumenta a necessidade da ingestão de carboidratos e facilita as alterações intestinais.

Como se vê, existe um ciclo ligando depressão, obesidade, permeabilidade e disbiose na mulher. E a prisão de ventre é a primeira conseqüência desse desequilíbro, o sinal evidente de que algo não vai bem no seu intestino. Por isso, não é possível que as mulheres se habituem à prisão de ventre, como se este sintoma fosse normal.

As mulheres precisam investigar e combater de todas as formas a prisão de ventre, o que passa, evidentemente, pela alimentação. Se não for pelas conseqüências mais imediatas que esse problema pode provocar, como prevenção para males futuros. Com a chegada do climatério, as mulheres habituadas à prisão de ventre vão sofrer ainda mais.

Reposição hormonal e receptores

É comum que mulheres passem a conviver com incômodos intestinais no período da menopausa. Mesmo aquelas que nunca apresentaram problemas deste tipo, entre os quais a prisão de ventre é o mais comum, passam a tê-los quando os níveis de produção do estrogênio começam a cair. Na verdade, há uma lista extensa de alterações com as quais as mulheres normalmente têm que lidar quando atravessam essa fase da vida.

Isso acontece porque a diminuição dos níveis de produção de estrogênio, que caracteriza o climatério feminino, não se reflete apenas nas mamas, no útero, na vagina e no endométrio. Há receptores de estrogênio em todo o corpo, e a baixa deste hormônio pode provocar muitas transformações na vida feminina.

Normalmente as mulheres têm menos infarto do que os homens, porque o estrogênio protege a parede arterial. Mas depois da menopausa aumenta muito a incidência de infarto entre elas. Presente também no cérebro, o estrogênio, quando começa a faltar, pode dar início a problemas de memória. Além da tão decantada osteoporose, a incontinência urinária e as alterações no funcionamento do intestino. Todo o organismo feminino se ressente da falta do estrogênio, e por isso a reposição hormonal foi tão bem-vinda.

Mas o que por muito tempo se imaginou ser a solução dos problemas decorrentes da menopausa não tardou a mostrar seu lado negativo. Nem todas as mulheres se dão bem com a reposição hormonal e muitas começam a ter sintomas indesejáveis como o aumento da mama e a formação de gordura, além do risco maior de câncer. Mulheres que já tiveram problemas proliferativos na mama ou no endométrio, ou aquelas que têm casos de câncer na família, não devem fazer este tipo de reposição, como hoje se sabe.

Por conta de tudo isso, a questão da reposição hormonal passou a ser muito discutida e aumentaram os cuidados com a sua prescrição. Não faltou também quem condenasse essa terapia, por conta dos riscos que representava para as mulheres. Até que a observação da forma como as chinesas lidam com a menopausa trouxe uma nova luz a essa interessante questão.

Na verdade, as mulheres orientais não lidam com problemas deste tipo porque elas não precisam fazer reposição hormonal. Graças ao estilo de alimentação oriental, as chinesas desenvolvem mecanismos naturais de lidar com a baixa da produção de estrogênio pelos ovários e pela supra-renal.

A chave do enigma está nos fitormônios, substâncias cuja estrutura química é muito semelhante ao estrogênio e por isso podem se fixar nos receptores destes hormônios, estimulando-os. Legumes, verduras e grãos, em especial a aveia, a soja e a semente de linhaça, são ricos em fitormônios, e por isso as mulheres chinesas, cuja dieta é composta desses alimentos, não sentem de forma tão crítica a menopausa.

Há diversos tipos de fitormônios e muitos já são reconhecidos entre nós como uma forma mais natural e menos arriscada de lidar com a deficiência de estrogênio. A soja, por exemplo, é rica em isoflavonas, a mais importante dessas substâncias. Já o inhame selvagem possui fitormônios que se ligam aos receptores de progesterona, que também são importantes para a mulher.

Para entender bem o benefício dos fitormônios, é preciso conhecer um pouco mais sobre os receptores hormonais, descobertos pela ciência há cerca de 20 anos e que hoje podem ser até dosados, o que possibilitou o melhor entendimento de muitos distúrbios ligados ao funcionamento hormonal do organismo.

Assim como outras substâncias nobres que circulam no organismo, os hormônios precisam se fixar em seus receptores antes que possam entrar nas células e cumprir sua função. Existem basicamente dois tipos de hormônios e cada um tem sua forma própria de se fixar aos seus receptores. Os hormônios protéicos, como a insulina e o hormônio de crescimento, precisam se fixar nas membranas das células. Já os hormônios esteróides, derivados do colesterol, como o estrogênio, a progesterona e os hormônios da tireóide, possuem o que chamamos de receptores intracelulares. Estes hormônios precisam entrar na célula e fixar-se nos receptores que estão em seu interior.

Mas a ciência foi além e descobriu que um mesmo hormônio pode ter mais de um receptor. É o que acontece com o estrogênio, que possui dois tipos de receptores: o alfa, que está mais presente nas mamas, na vagina e no endométrio da mulher, e o receptor beta, que se localiza mais no intestino, no pulmão, nos ossos, na bexiga e em outros órgãos.

Assim, os receptores do tipo alfa estão mais presentes nos órgãos ligados à proliferação e à feminilidade da mulher, enquanto que nos outros locais do corpo existe uma maior prevalência dos receptores beta, que também fixam o estrogênio, mas não são tão proliferativos.

Na reposição hormonal clássica, o estrogênio sintético se fixa principalmente nos receptores alfa e dessa forma apenas os órgãos proliferativos são estimulados. Daí o perigo do câncer. Enquanto isso, os locais do corpo onde existe prevalência de receptores beta começam a sofrer com a falta de estrogênio. É quando aparece a prisão de ventre, a osteoporose, os problemas de memória, a incontinência urinária.

Já os fitormônios, mais especificamente os fitoestrogênios, estimulam mais os receptores beta e assim fixam-se mais no intestino, no pulmão, na bexiga e demais locais do corpo onde esses receptores existem em maior quantidade. Reside aí a grande vantagem dos fitormônios. Com eles, não há tanta estimulação nos órgãos proliferativos da mulher, ao mesmo tempo em que ela fica protegida contra a osteoporose, os problemas vasculares, os distúrbios intestinais, da bexiga e toda série de incômodos desta fase.

A alimentação industrializada privou as mulheres ocidentais do grande benefício proporcionado pelos fitormônios, mas felizmente já é possível fazer reposição hormonal com cápsulas dessas substâncias. Além da soja, são muito usadas hoje o inhame selvagem, que é o yam mexicano, as lignanas, presentes na semente de linhaça e várias outras.

É claro que quanto mais jovens as mulheres adotarem uma dieta natural, mais estarão protegidas contra os efeitos do declínio da produção do estrogênio na meia-idade. Pesquisas demonstraram que as pessoas vegetarianas secretam de três a quatro vezes mais fitormônios na urina do que os não-vegetarianos. Mas é importante lembrar que a flora intestinal também deve merecer cuidados e estar sempre equilibrada para que os fitormônios possam atuar.

É o predomínio das bactérias benéficas no intestino que fará com que o organismo feminino se beneficie dos fitormônios, pois um número muito grande de bactérias patogênicas pode impedir a liberação dessas substâncias pelos alimentos. Com a flora intestinal equilibrada e livre da disbiose, a mulher contará com maior liberação de fitoestrogênio e certamente passará pelo climatério tranqüilamente, como as chinesas.

Demais, não

Outra vantagem importante da reposição hormonal com fitormônios é o prejuízo que o excesso de estrogênio pode causar. Hoje se sabe que este hormônio, em grande quantidade, causa até mesmo o aumento da pressão arterial, como se verifica em algumas mulheres que passam a fazer a reposição clássica.

Tudo acontece por causa de um mecanismo conhecido por *over-flowing*, ou transbordamento. Quando há estrogênio demais em circulação, o hormônio lota os seus receptores e depois vai se fixando em outros receptores que têm estrutura semelhante à dele. No caso da hipertensão, o estrogênio em excesso se fixa nos receptores da aldosterona, que é um hormônio da supra-renal que eleva a pressão.

É por causa desse mesmo mecanismo que as pessoas que tomam cortisona estão sujeitas ao aumento de pressão. A rigor, a cortisona não tem ação hipertensiva, mas os receptores do cortisol e da aldesterona são muito semelhantes. Por isso quem tem excesso de cortisol porque está estressado ou toma medicamentos à base de cortisona pode ter a pressão aumentada.

O aumento de peso, que é certamente um dos fatores que mais incomodam as mulheres que fazem a reposição hormonal clássica, também está ligada ao *over-flowing*. Os receptores de cortisol, hormônio que facilita o ganho de peso, também possuem estrutura semelhante ao estrogênio.

Em muitas mulheres jovens que apresentam problemas no intestino, o que se supõe atualmente é que estes aconteçam em função do hiperestrogenismo. Ainda se discute esta questão, mas, ao que parece, a secreção excessiva de estrogênio aumentaria os receptores do tipo alfa, provocando um desequilíbrio que dificultaria a formação dos receptores beta no intestino.

Infelizmente muitos médicos ainda duvidam da eficácia dos fitormônios e não abrem mão da reposição hormonal clássica, mas com certeza uma boa parte de suas pacientes continua sem uma solução para os casos em que esse tipo de reposição representa o risco de câncer ou outra doença proliferativa.

Uma senhora que conheço, e que há cerca de dez anos teve um câncer de mama, decidiu ir ao Memorial Hospital, em Nova York, aconselhar-se com um médico sobre como deveria proceder, já que estava começando a perceber os sintomas da baixa da produção de estrogênio em seu corpo. O médico que atendeu esta senhora prescreveu-lhe uma reposição com fito-hormônios derivados da soja.

É verdade que alguns médicos brasileiros já começam a ver os fitormônios com outros olhos. Estes estão abertos às novidades e querendo mudar, o que é muito positivo. Provavelmente a divulgação de trabalhos científicos sobre os fitoestrogênios, que têm sido muito freqüentes, está fazendo com que os médicos comecem a se interessar pelo tema.

Tenho certeza de que, no futuro, quando o uso dos fitoestrogênios estiver mais popularizado, o climatério será uma fase da vida bem mais prazerosa para as mulheres, quando elas poderão usufruir com mais plenitude as inegáveis vantagens da maturidade.

Dosando os receptores

Muitos dados novos sobre os receptores de estrogênio vêm sendo divulgados. Há poucos meses foi publicada nos jornais americanos, e também nos brasileiros, uma notícia sobre a descoberta do xenoestrogênio, uma substância cancerosa liberada pelo plástico a partir do calor. Segundo a notícia, líquidos quentes dentro de copos descartáveis liberariam o tal xenoestrogênio, também perigoso para os homens, que possuem receptores de estrogênio, ainda que em pequena quantidade. Em excesso, essas substâncias se fixariam nos receptores de estrogênio masculinos, causando problemas.

Está claro que os receptores hormonais são substâncias importantíssimas e por isso os seus métodos de dosagem foram aperfeiçoados. Não apenas no caso do estrogênio, mas em muitas outras situações, conhecer a quantidade de receptores hormonais se tornou fundamental nos diagnósticos. Em diversos distúrbios, a questão pode estar não na capacidade de secreção do hormônio, mas na de seus receptores.

Este fato já está bem estabelecido em relação às pessoas diabéticas. Algumas produzem insulina suficiente, mas não contam com um bom número de receptores nas células para que o hormônio possa funcionar. O mesmo se verifica em crianças que não crescem. Muitas têm uma boa secreção de hormônio de crescimento, mas seus receptores para estes hormônios não funcionam.

Além dessas, há uma série de situações em que a falta de receptores pode causar problemas, e uma delas nos interessa particularmente, porque diz respeito ao intestino. Sabe-se hoje que as pessoas que desenvolvem câncer de intestino possuem pouca quantidade de receptores de estrogênio neste órgão.

Esta é certamente uma das razões pelas quais o câncer de cólon é praticamente inexistente entre as chinesas, e também entre as pessoas vegetarianas. Até pouco tempo atrás, admitia-se que essa proteção para o câncer intestinal com que contam os vegetarianos se dava por causa da grande ingestão de fibras, mas agora sabe-se que a ativação dos receptores de estrogênio pelos fitormônios também contribui para isso.

Testes modernos para dosagem de receptores estão confirmando a deficiência de receptores de estrogênio do tipo beta nos tecidos intestinais das pessoas que sofrem da doença, o que comprova mais uma vez a importância que essas substâncias têm para a proteção do órgão.

Sabe-se que as mulheres possuem mais receptores beta no intestino do que os homens, o que era de se esperar, já que elas têm muito mais estrogênio no corpo. Já está bem estudada nas mulheres a importância desses receptores como fatores de proteção para o câncer intestinal, entretanto a questão ainda não foi bem pesquisada nos homens.

Na verdade, não se conhece claramente o papel do estrogênio nos homens, embora tudo indique que eles também possuem receptores de estrogênio no intestino. O fato é que este tipo de câncer vem aumentando muito, principalmente entre eles. Ainda que não existam certezas sobre o papel protetor do estrogênio no organismo masculino, é claro que os homens não devem prescindir de uma alimentação mais natural, rica em fibras e pobre em gorduras. Afinal, o que é bom para as mulheres, certamente também será bom para os homens.

Receptores e vitamina D

No início dos anos 90, quando dava aulas na Universidade de Harvard, em Boston, conheci lá um professor e acabamos nos tornando amigos. Minha esposa e a dele vez por outra saíam juntas. Como toda norte-americana que se preza, a esposa do meu colega era fascinada por compras. Fazia parte de sua rotina ir ao *shopping* todos os dias, do qual voltava cheia de sacolas.

Certo dia, conversávamos sobre alimentação e eu elogiei os supermercados naturais da cidade. Naquela época já funcionavam em Boston mercados absolutamente fantásticos, que ainda não existem no Brasil. Tudo o que é possível imaginar em termos de alimentos sem agrotóxicos ou aditivos químicos pode ser encontrado nesses lugares. Até carne de camarões e porcos. Mas, diante da minha admiração, a esposa do meu colega observou que nunca comprava nos supermercados naturais de Boston porque lá os produtos eram sempre muito caros.

Como se percebe, até nos países onde existe um bom poder aquisitivo a boa alimentação ainda é pouco valorizada. Nem todo mundo se deixa convencer que os alimentos saudáveis, ainda que a princípio pareçam mais caros, são na verdade mais baratos. Um quilo de arroz integral é certamente mais caro do que um quilo de arroz comum, mas o primeiro é infinitamente melhor em termos nutricionais. Além disso, quando se opta por uma alimentação natural, a tendência é que muitos itens caros acabem saindo do cardápio, como os frios e os embutidos. A alimentação sadia implica uma mudança de comportamento, em que um benefício vai levando a outro. E, no fim, gasta-se menos.

Enquanto essa mentalidade não se expande da forma que deveria, não param de surgir boas novidades a respeito das vantagens da adoção de uma alimentação mais natural e, portanto, rica em fitormônios. A mais recente delas é que essas substâncias são duplamente úteis para a prevenção da osteoporose.

Tudo começa com a vitamina D, que, na verdade, não é uma vitamina, e sim um hormônio. Dificilmente a vitamina D deixará de ser chamada desta forma, mas vitaminas são substâncias que temos que adquirir pela alimentação, já que o corpo não pode produzi-las. Todos nós produzimos vitamina D. Derivada do colesterol, ela é sintetizada primeiramente na pele sob o efeito do sol, segue para o fígado, onde sofre uma pequena modificação, vai para o rim e finalmente se transforma em calcitriol, que é o tipo de vitamina D mais ativa que temos.

Como a principal função conhecida da vitamina D é promover a absorção do cálcio, precisamos sempre tomar sol, para evitar problemas ósseos. A deficiência de vitamina D é capaz de provocar o raquitismo nas crianças e a osteomalacia nos adultos, uma doença em que os ossos ficam moles. Além, é claro, da conhecida osteoporose.

Como todo hormônio, a vitamina D possui receptores, e esses receptores também são estimulados a partir do fitoestrogênio. Fica clara a razão pela qual essas substâncias são capazes de prevenir a osteoporose nas mulheres: os fitoestrogênios se fixam nos receptores beta de estrogênio localizados nos ossos, estimulando a absorção do cálcio e garantindo a integridade dos ossos.

Mas não é só. Conforme descoberto recentemente, existe no intestino uma grande quantidade de receptores de vitamina D. Assim, os fitoestrogênios vão estimular no intestino a produção de receptores de vitamina D, que aumentam a absorção do cálcio. O fitoestrogênio, portanto, possui duas ações distintas na prevenção dos problemas ósseos e o que se acredita é que a ação indireta, a partir da estimulação dos receptores de vitamina D no intestino, seja até mais importante do que a sua ação direta sobre os receptores beta nos ossos.

Há ainda mais novidades chegando sobre a vitamina D. Sabe-se hoje que esta vitamina, ou melhor, este hormônio, é um dos antioxidantes capazes de aumentar no cérebro a formação de uma importante substância que regenera os neurônios cerebrais, chamada neurotrofina. Mas sabe-se agora também que esta neurotrofina, chamada NGF — *Nerve Growth Factor* (fator de crescimento neuronal) —, é formada em grande quantidade no intestino, com importante ação sobre a imunidade. Assim, é possível que o aumento dos receptores de vitamina D no intestino seja capaz de melhorar as condições imunológicas de todo o organismo. Se a vitamina D já comprovou sua utilidade no cérebro, certamente será benéfica ao intestino.

Por isso é fundamental ter sempre uma boa quantidade de vitamina D. Como há pouquíssimas fontes dessa vitamina na alimentação, é muito importante tomar sol, que é em realidade o grande formador desse hormônio. O grande problema é que o ritmo de vida atual muitas vezes rouba o tempo que as pessoas deveriam destinar a um bom banho de sol. Especialmente as mulheres, mais propensas à osteoporose, acabam se tornando fortes candidatas à doença quando passam o dia inteiro dentro de ambientes mal iluminados. E nunca é demais lembrar que o sol também é fundamental para o equilíbrio da secreção de serotonina e melatonina.

Um forte aliado que existe atualmente para a prevenção de doenças ligadas à carência de cálcio é a dosagem desse mineral, e também do magnésio que atua sempre em conjunto com o cálcio. Mas esses minerais costumam ser dosados no plasma sangüíneo, o que não expressa a real quantidade deles no organismo. O melhor lugar para dosar estes minerais é dentro das células, o que se faz através dos mineralogramas.

Quando se fala desses exames, sempre se exalta o valor de identificarmos a presença de minerais tóxicos no organismo, o que realmente representa um grande perigo. Entretanto, dosar a quantidade de minerais benéficos que temos também é um indicador muito útil. A falta de magnésio, por exemplo, pode apresentar fraqueza muscular e até arritmia cardíaca.

A dosagem dos receptores hormonais também é igualmente valiosa, porque algumas pessoas têm muito cálcio e magnésio, mas poucos receptores de vitamina D no intestino. Nesse caso, tomar vitamina D é importante para estimular a produção de receptores. O problema é que esta substância é lipossolúvel e, em excesso, pode ocasionar problemas, como a calcificação exagerada.

Parte III

12

O Eixo Cérebro-intestinal

Vivemos hoje uma situação interessante na medicina. A produção de conhecimento científico chegou a tal patamar, que se tornou praticamente impossível para um médico ou pesquisador proclamar-se completamente atualizado. Não há mais como acompanhar a quantidade de informações divulgadas pelos grandes centros científicos, e é isso que vem justificando o surgimento de novas subespecialidades dentro das especialidades médicas.

Se por um lado esse fato tem um aspecto negativo, porque cada vez mais o organismo humano é departamentalizado na medicina, fazendo com que a visão holística da saúde de um organismo se perca, não há como deixar de reconhecer que são essas novas descobertas que nos livrarão das doenças num futuro não muito distante.

Muitos conceitos foram modificados na ciência médica até chegarmos ao avanço do presente. A exemplo dos neurotransmissores, os hormônios também estão tendo seus conceitos modificados, o que vem sendo muito importante para a compreensão das relações descobertas entre hormônios gastrintestinais e cerebrais, que se convencionou chamar de eixo cérebro-intestinal.

Segundo a definição clássica, hormônio é toda substância que age distante do local onde é secretado — glândulas como a hipófise, a supra-renal, os ovários, os testículos etc. — e que produz um efeito específico sobre a atividade de uma outra estrutura ou órgão.

Entretanto, constatou-se que muitas outras substâncias se encaixam na definição clássica de um hormônio, inclusive alguns neurotransmissores. Um exemplo é a própria acetilcolina, o neurotransmissor mais abundante no cérebro e também presente em grande quantidade no intestino, como já foi constatado. A acetilcolina também poderia ser considerada uma substância hormonal.

Conhece-se hoje muito sobre os hormônios e é dosando, controlando ou estimulando-os que a medicina vem conseguindo resultados espetaculares. O controle da diabetes, do hipertireoidismo, dos distúrbios de crescimento e muitos outros não seria possível se os estudos sobre os hormônios não tivessem chegado ao desenvolvimento que temos hoje, quando muitos são dosados até na saliva.

Por isso, acredito ser válido aqui um pequeno parênteses sobre a origem dos métodos de dosagem hormonal, que constituem uma história muito interessante. Pouca gente sabe, mas dosar hormônios no passado era algo complicadíssimo. Quando me iniciei na medicina, os laboratórios clínicos mantinham tanques com criação de sapos para fazer testes de gravidez.

Naquela época, era preciso injetar a urina da mulher em um sapo e depois analisar as alterações na urina do animal. Como trabalhei muitos anos no laboratório fundado pelo meu pai, conheci de perto o alvoroço que os sapos provocavam nas salas de espera quando fugiam dos tanques.

A dosagem de testosterona, procedimento simples atualmente, era algo que pouquíssimos pacientes podiam fazer. Para dosar a quantidade deste hormônio no homem, era preciso recolher sua urina e injetá-la na crista de um galo capão, que por não ter testosterona tem sua crista pequena como a de uma galinha. Se a crista do galo se empinasse e crescesse de tamanho, era sinal de que havia boa quantidade de testosterona na urina pesquisada.

É claro que a medicina teria avançado muito pouco se ainda estivéssemos dependendo de sapos e galos para dosar os hormônios. Por isso a humanidade deve muito a dois brilhantes cientistas: Solomon Berson e sua auxiliar Rosalyn Yalow, que inventaram na década de 70 os radioimunoensaios, método laboratorial de identificação e dosagem hormonal.

Berson e Yalow descobriram como dosar hormônios utilizando isótopos radioativos. Isótopos são átomos marcados que não interferem no funcionamento da molécula e por isso podem simular a ação das substâncias originais em laboratório.

Os dois cientistas misturaram anticorpos de insulina com a insulina humana e com isótopos de insulina, ambos com a mesma capacidade de se fixar nos anticorpos. Essa fixação acontece a partir dos receptores que existem em todas as substâncias nobres do organismo, como os hormônios. Antes de entrar nas células, os hormônios devem passar por receptores celulares, que uma vez ativados vão provocar as reações químicas desejadas nas células.

Depois que a radiação dos isótopos radioativos era medida num contador gama, avaliava-se o resultado. Se a quantidade de isótopos ligados aos receptores ultrapassasse um determinado limite, era sinal de que o nível de insulina no sangue estava bom, já que os isótopos haviam competido pouco com a insulina natural. Se havia poucos isótopos, isso significava muita insulina no sangue do paciente.

O trabalho dos laboratórios de análises clínicas foi totalmente revolucionado com o advento dos radioimunoensaios, mas a manipulação e o descarte dos isótopos eram perigosos, já que se tratava de material radioativo. A obtenção dos *kits* para os testes também era complicada.

Atualmente, isótopos de hormônios e outras substâncias orgânicas podem ser marcados com enzimas. Os enzimaimunoensaios produzem reações com cores em vez de radiotividade, mas seguem os mesmos princípios da fantástica descoberta de Berson e Yalow, que foi agraciada em 1976 com o Prêmio Nobel de Medicina por seu trabalho. Embora Berson tenha sido o grande criador do método, ele já havia morrido nesse ano e por isso não pôde ser indicado pela academia.

Enfim, os radioimunoensaios significaram um avanço espetacular, e a partir deles os cientistas ganharam acesso a conhecimentos importantíssimos sobre o papel dos hormônios no organismo, permitindo desvendar, inclusive, as interessantes conexões que vêm sendo estabelecidas entre o cérebro e o intestino.

Fantásticas descobertas

Os hormônios do eixo cérebro-intestinal são certamente um dos melhores exemplos de estudos promissores para a vida que nos aguarda nas próximas décadas. Formado por cerca de 40 substâncias, este campo de conhecimento a rigor ainda não pertence a nenhuma especialidade médica, pois são estudos muito recentes, ainda não formatados para aplicação prática entre os endocrinologistas, gastrenterologistas ou quaisquer outros especialistas.

Alguns hormônios já têm bem estabelecidas suas relações nos dois pontos do eixo cérebro-intestinal, mas para algumas substâncias as conexões ainda não estão muito claras. Um exemplo deste último grupo é a gastrina, um hormônio que libera a secreção do ácido clorídrico pelo estômago, cuja função no cérebro ainda é um mistério para os cientistas.

Outro exemplo é a secretina, o primeiro hormônio identificado na parede intestinal, em 1912. Bayliss e Starling, os pesquisadores que trabalhavam com cães, foram os que descobriram a existência da secretina, cuja ação se dá sobre o pâncreas, aumentando a sua secreção. Recentemente, foi verificado que a secretina também possui atuação no cérebro, tendo sido, inclusive, envolvida em estudos sobre o autismo.

Tabela 5
Peptídeos encontrados no cérebro e no intestino

Originalmente encontrados no cérebro	*Originalmente encontrados no intestino*
Substância P	Colecistoquinina
TRH (tireoliberina)	Gastrina
Somatostatina	Secretina
Encefalinas	Peptídeo vaso-intestinal (VIP)
Corticoliberina (CRH)	Polipeptídeo pancreático
	Bombesina
	Neuropeptídeo Y
	Galanina
	Grelina

No futuro, com certeza, a ciência conseguirá sintetizar alguns dos hormônios do eixo cérebro-intestinal cujas estruturas químicas já são conhecidas, fazendo com que possam ser utilizados na cura ou controle de distúrbios importantes. Com isso, o intestino ganha cada vez mais importância na ciência médica, surpreendendo pela sua capacidade de secretar hormônios e neurotransmissores fundamentais para o equilíbrio de todo o organismo, como veremos a seguir.

13

Colecistoquinina, Leptina e Bombesina — Um Trio para Explicar a Obesidade

Em 1928, dois pesquisadores chamados Ivy e Oldberg identificaram no duodeno um hormônio que agia relaxando o esfíncter de Oddi, uma espécie de válvula que liga esta parte inicial do intestino à vesícula biliar. Com isso, a secreção da bile era estimulada. Animados com sua descoberta, os cientistas deram ao hormônio o nome de colecistoquinina.

Doze anos mais tarde, outros dois pesquisadores anunciaram a descoberta de um novo hormônio no duodeno, dessa vez com efeito sobre o pâncreas. A substância atuaria sobre o órgão estimulando a sua secreção e por isso recebeu o nome de pancreozimina.

Mais de 20 anos se passaram até que outros cientistas descobriram que a colecistoquinina que agia sobre a vesícula e a pancreozimina que agia sobre o pâncreas eram na verdade um único hormônio, que acabou sendo reconhecido com o primeiro nome com que foi batizado por Ivy e Oldberg.

É a acidez do bolo alimentar e, especialmente, as proteínas já digeridas pelo estômago que provocam a liberação da colecistoquinina, que vai estimular a vesícula e o pâncreas. Hoje se sabe que a mesma colecistoquinina secretada no duodeno também está presente no cérebro e lá exerce uma função importantíssima nos processos de saciedade, funcionando como um regulador do apetite. Já foi verificado que animais com deficiência de colecistoquinina no cérebro têm tendência a comer em excesso.

Quando libera a colecistoquinina, portanto, o organismo está não apenas colaborando com os processos digestivos, mas ainda diminuindo a vontade de comer. Não é difícil entender que a descoberta de um hormônio com esses atributos tenha atraído a atenção de muitos pesquisadores, pois são grandes as suas chances de sucesso no controle da obesidade e da compulsão alimentar.

Há muito tempo, aliás, a ciência procura a resposta para uma pergunta muito simples: por que algumas pessoas engordam e outras não? Também perseguida por milhões de pessoas desoladas com a própria imagem, esta resposta parece estar sendo clareada a partir da descoberta da ação de substâncias sobre a regulação da saciedade. Não apenas a colecistoquinina, mas também outros hormônios do eixo cérebro-intestinal estão relacionados com o ganho de peso.

Já foi comprovado que no máximo 20% das pessoas obesas ingerem mais calorias que as pessoas magras. Portanto, ser gordo ou magro não depende apenas do que se come. Embora a obesidade tenha várias causas, sabe-se que em muitos casos o distúrbio está relacionado aos mecanismos de dissipação de energia com que cada organismo pode contar.

Uma das mais modernas linhas de pesquisa sobre a obesidade contempla um tecido conhecido pelo nome de gordura marrom. Esta diferencia-se do tecido adiposo comum por causa da grande vascularização que possui, conferindo-lhe um tom amarronzado. Quem tem gordura marrom não tem tendência ao ganho de peso, e hoje se sabe que a produção desta gordura está muito ligada ao que acontece no intestino.

Até algum tempo atrás, não se sabia que o homem tinha capacidade de produzir gordura marrom. Acreditava-se que apenas os animais que hibernam a produziam, como uma estratégia natural para manterem a temperatura do corpo durante os longos períodos de inverno. Hoje se sabe que alguns grupos humanos também produzem gordura marrom, e para eles a paranóia de emagrecimento não existe. Os esquimós são o melhor exemplo.

Também já se conhece alguns dos fatores que fazem com que a gordura marrom seja formada. Temperaturas baixas formam gordura marrom, assim como uma dieta rica em ômega 3, gordura muito presente em peixes de água fria. Como se vê, os esquimós são mesmo privilegiados no que diz respeito às condições de formação da gordura marrom, sendo o índice de obesidade entre eles praticamente nulo.

O que tem interessado especialmente aos pesquisadores é uma proteína chamada termogenina que compõe a gordura marrom. Hoje mais conhecida pela sigla UCP (*uncoupling protein*), ou proteína desacopladora, a termogenina é a responsável pela termogênese, que é o processo de formação de calor no organismo.

Normalmente, os processos energéticos se acumulam no ATP (*adenosine triphosphate*), que é o armazém da energia do nosso corpo, formado no interior das mitocôndrias. Mas quando não há acoplamento destes processos, a energia se perde através do aumento de calor, ou termogênese. É a termogenina que faz com que grande parte da energia formada no organismo a partir dos carboidratos e gorduras se dissipe em forma de calor, evitando a obesidade. É por isso que as pessoas que têm muita gordura marrom, e portanto muita termogenina, não engordam.

Mas, como tudo na vida, a gordura marrom não dura para sempre. Num estudo científico realizado há poucos anos, um esquimó foi levado para Paris e lá passou a se alimentar como um nativo, com queijos, vinhos, pães, patês e outras delícias. Durante cerca de dois meses seu peso se manteve. Depois, o esquimó começou a engordar. Aconteceu que toda a sua gordura marrom foi consumida e substituída pela gordura branca.

Convencidos de que a gordura marrom pode se transformar em gordura comum, os cientistas querem agora descobrir como fazer o caminho inverso, ou seja, como transformar a gordura branca em gordura marrom. Para isso, avançaram com as pesquisas, que acabaram aportando no intestino.

Já são conhecidos hoje alguns hormônios envolvidos com a formação da termogenina, e a leptina é o principal deles. A leptina é formada na gordura branca, mas também é encontrada no cérebro, onde bloqueia a liberação de alguns hormônios que estimulam o apetite e aumentam a secreção da colecistoquinina, que regula a saciedade.

Pesquisas mais recentes descobriram que há nas mucosas intestinais uma grande quantidade de receptores de leptina, o que significa que o hormônio também tem uma função importante neste órgão. Já existem estudos sustentando que a leptina seria fabricada não apenas na gordura comum, mas também no intestino e no estômago.

A bombesina, um hormônio responsável pela liberação da gastrina pelo estômago e que tem ação sobre o controle da dor, também está envolvido na obesidade. Isso porque tem o poder de aumentar a formação da leptina, conforme constataram alguns cientistas. As pesquisas concluíram ainda que a bombesina e a colecistoquinina atuam sempre em conjunto no organismo.

Tudo que se consegue descobrir sobre os mecanismos da formação da leptina é muito importante, pois há esperanças de que ela seja o verdadeiro hormônio do emagrecimento. Mas, ainda que isso não tenha sido comprovado, não há como negar que as pessoas obesas apresentam com muita freqüência problemas intestinais, como a má digestão. Portanto, é possível que a falta de leptina facilite os mecanismos da obesidade, além de prejudicar as funções do intestino.

Por enquanto, as pesquisas sobre obesidade a partir dos hormônios do eixo cérebro-intestinal ainda não chegaram a resultados concretos, embora alguns avanços significativos tenham sido feitos em relação à colecistoquinina. Por pouco este hormônio não foi lançado comercialmente como um remédio para emagrecimento há alguns anos. O projeto acabou abandonado em função dos efeitos indesejados do hormônio sobre a vesícula biliar. O que vem se tentando atualmente é fabricar análogos da colecistoquinina, para que sua ação sobre a vesícula seja anulada e o hormônio possa ser utilizado apenas como um inibidor de apetite.

Também à espera pela descoberta de um análogo está outro importante hormônio do eixo cérebro-intestinal chamado TRH, ou tireoliberina, que originariamente ativa a secreção dos hormônios da tireóide. O TRH é secretado pelo hipotálamo, uma das principais glândulas que temos, fundamental para a nossa reação às situações, além de controlar a temperatura corporal, a sede, a fome e a função sexual. Foi uma grande surpresa para os cientistas constatar que o TRH também pode ser encontrado no intestino.

Quem está à frente dos estudos sobre análogos do TRH é o seu próprio identificador, o endocrinologista Andrew Schally, ganhador do Nobel de Medicina em 1977. Há alguns anos, Schally tentou fazer um análogo do TRH sem ação sobre a tireóide, mas os resultados obtidos até agora ainda são um tanto controvertidos.

Galanina e neuropeptídio Y — Nem todo mundo quer emagrecer

Se ganhamos peso, é porque não contamos apenas com hormônios que controlam o apetite, como a leptina, a colecistoquinina e o TRH. Temos também no nosso organismo outros hormônios que se encarregam exatamente daquilo que em geral queremos evitar: a nossa engorda.

Mas mesmo contrariados temos que admitir a importância desses hormônios orexígenos. Afinal, são eles que aumentam a absorção dos carboidratos e das gorduras, que são essenciais sob o ponto de vista energético. Além disso, embora a grande maioria das pessoas esteja preocupada em emagrecer, existem outras, embora poucas, que lutam diariamente para ganhar peso e não conseguem.

Existem vários hormônios orexígenos, como a galanina e o neuropeptídio Y, secretados tanto no cérebro como no intestino. Segundo pesquisas, o neuropeptídio Y atuaria principalmente na ingestão de carboidratos e a galanina aumentaria a absorção de gorduras. Nas pessoas que comem pouco, a liberação desses hormônios é aumentada, num mecanismo para absorver mais, diminuir o gasto energético e tentar vencer a desnutrição. Mais uma prova da perfeição do nosso organismo.

Pesquisas constataram que os obesos têm mais neuropeptídio Y, galanina e demais hormônios deste tipo, o que faz crer que esses hormônios estão de alguma forma ligados à obesidade, aumentando a ingestão dos alimentos. Tudo indica também que a secreção de galanina e do neuropeptídio Y é inibida pela leptina, o que é muito lógico se lembrarmos que a leptina está diretamente envolvida na termogênese.

Já se conhece hoje outras atuações interessantes destes hormônios. Existe uma síndrome muito complexa, chamada síndrome do ovário policístico, em que há aumento de testosterona na mulher, que passa a apresentar pêlos no rosto e aumento significativo de peso. Estudos demonstraram que há nesta síndrome um rompimento do *feedback* entre a leptina e o neuropeptídio Y, que aparecem bastante aumentados nos exames de mulheres com o problema. Descobriu-se também que o neuropeptídio Y tem propriedades anticonvulsivantes, mas o hormônio ainda não está sendo utilizado terapeuticamente em doenças neurológicas.

Grelina, o hormônio da fome

Para disputar os holofotes com a leptina na procura por uma saída para a obesidade, um novo hormônio foi recentemente identificado pelos cientistas. Trata-se da grelina, cujas células produtoras foram encontradas no estômago, no duodeno, no íleo, no cólon e no hipotálamo. A grelina está intimamente ligada ao hormônio de crescimento, outra substância importantíssima que estudaremos com detalhes logo a seguir. Foi verificado que a grelina ativa a ação desta substância e daí o seu nome original: ghrelin — GH significa hormônio de crescimento (*growth hormone*) e relin, liberação.

Já conhecida nos meios científicos como "o hormônio da fome", a grelina tem ação antagônica à leptina, ou seja, ela aumenta a ingestão de comida e favorece a obesidade. Portanto, tem ação similar à colecistoquinina. Assim, sempre que alguém tem uma perda de peso, acontece um aumento dos níveis de grelina. O contrário tambem é verdadeiro: quando há ganho de peso, diminuem os níveis do hormônio.

O "hormônio da fome" apresenta propriedades bastante interessantes e uma delas está relacionada à melatonina, um interessantíssimo hormônio que circula no nosso organismo durante a noite, produzido a partir da serotonina e sob o efeito da escuridão. Enquanto dormimos, a melatonina faz uma "faxina" de radicais livres no cérebro, revigorando-nos para o dia seguinte. Ela é secretada por uma glândula localizada no topo cerebral, a glândula pineal, que os esotéricos consideram como a "sede da alma", capaz de colocar o homem em contato com o cosmo.

Foi verificado que doses altas de melatonina favorecem a diminuição dos níveis de grelina, o que significa que pessoas que têm doses baixas de melatonina têm tendência a engordar. Se observarmos a natureza, isso é fato, pois à medida que a idade avança, a produção de melatonina cai. Em condições normais de saúde, todas as pessoas, ao envelhecer, tendem a ganhar peso.

Em muitos casos de indivíduos jovens que começam a apresentar tendência ao ganho de peso, sem uma razão explicável, é possível que esteja acontecendo algum problema ligado à secreção da melatonina. Mas este hormônio envolve ainda outras questões importantíssimas, como sabemos.

A dosagem da grelina no plasma para estudar a obesidade simples já está sendo feita, mas como acontece com a leptina ainda há muitas dificuldades a serem superadas até que o hormônio possa ser utilizado nas terapias para a obesidade.

Há cerca de três anos, os cientistas avançaram muito com a leptina e chegaram perto de poder administrá-la em pessoas obesas, na esperança de que elas formassem gordura marrom. Infelizmente os estudos acabaram frustrados, pois descobriu-se que em muitos casos o problema não estava na produção de leptina, mas sim na eficiência dos seus receptores.

Para superar o problema do mau funcionamento desses receptores, que impede a entrada e ação dos hormônios nas células, chegou-se a cogitar na clonagem dessas substâncias, mas nada existe ainda de definitivo. É uma pena, pois a grelina poderia ser utilizada nas pessoas que precisam ganhar peso, como aquelas desnutridas ou com anorexia nervosa, ativando o seu centro do apetite no cérebro e induzindo à alimentação.

14

A Dança dos Hormônios: Equilíbrio, Crescimento e Imunidade

O hormônio de crescimento é hoje a grande vedete das terapias contra os indesejáveis sintomas do envelhecimento. De fato, esse hormônio é importante para a síntese das proteínas musculares, cicatrização dos ossos, metabolismo cerebral e tudo que confere saúde e bem-estar ao corpo. Com certeza o hormônio de crescimento é o que de melhor existe para recuperar alguns danos causados pela passagem do tempo.

Sabe-se muito sobre o hormônio de crescimento atualmente, inclusive que ele é produzido durante toda a vida, e não apenas na infância, como se acreditava no passado. O que acontece é que sua produção segue um ciclo bastante ingrato: quanto mais idade temos, menos o produzimos.

O mais importante dos recentes conhecimentos sobre o hormônio de crescimento é que ele é fabricado em grande parte pelo intestino. Tal dado, mais uma vez, nos leva a importantes reflexões sobre o aparelho gastrintestinal e as condições que damos ao nosso próprio corpo para a produção das substâncias capazes de garantir uma vida mais longeva e saudável. É claro que não envelhecer é impossível, mas certamente podemos descobrir meios de levar uma vida produtiva e saudável até o fim.

O hormônio de crescimento possui alguns dados curiosos, a começar pelo nome como é conhecido popularmente. Na verdade, a substância largamente utilizada nas terapias de combate ao envelhecimento não é o verdadeiro hormônio de crescimento, mas sim uma substância precursora deste hormônio. A hipófise fabrica essa substância, chamada somatotrofina ou GH (*growth hormone*), que vai para o fígado e lá se transforma no verdadeiro hormônio de crescimento, também chamado de somatomedina, ou simplesmente IGF (*insulin growth factor*).

Outro dado interessante sobre este hormônio é a sua própria história. Há cerca de 30 anos, quando a substância ainda não havia sido isolada, utilizava-se hormônios de crescimento de algumas espécies animais em crianças e jovens que não se desenvolviam. A conseqüência disso foi o surgimento da terrível doença de Creutzfeld-Jacob, de sintomas semelhantes à doença da Vaca Louca.

Com a evidência de que hormônios de animais apresentavam maus resultados nos humanos, começou a surgir um tipo sinistro de mercado negro. Pessoas que trabalhavam em necrotérios aspiravam pelo nariz dos cadáveres suas hipófises, que eram congeladas e depois vendidas para obtenção dos hormônios de crescimento. Felizmente, a engenharia genética acabou com esse comércio e hoje o hormônio de crescimento, a exemplo da insulina, é produzido em laboratórios de forma segura, por bactérias.

Há muita lógica na presença do hormônio de crescimento no intestino. A grande quantidade de radicais livres que circulam pelo órgão justifica a existência de um mecanismo de regeneração eficaz como o IGF, para que suas microvilosidades possam se manter sempre em boa forma.

A presença de IGF no intestino também explica o fato de os pacientes quimioterápicos apresentarem muitas complicações intestinais. Numa comparação simples, as células em geral têm uma proliferação de uma por segundo, as células cancerosas proliferam numa velocidade de dez por segundo e as células do intestino, de cinco por segundo. Como a quimioterapia atua principalmente sobre as células proliferativas, ela ataca de forma severa o intestino. O mesmo acontece com o folículo piloso, que também tem alto grau de proliferação. Por isso as pessoas perdem os cabelos depois de sessões de quimioterapia.

Riscos do exagero

Há hoje várias maneiras de administrar o hormônio de crescimento, e até por *spray* ou em forma sublingual ele já é utilizado. Mas a verdade é que está havendo um grande abuso no uso desse hormônio. Existem várias doenças proliferativas, principalmente o câncer, que podem surgir quando se administra a somatotrofina sem critérios.

Com o envelhecimento, é comum que algumas pessoas desenvolvam pequenos tumores cancerosos, que provavelmente jamais se fariam notar. Entretanto, a administração de GH pode ativar esses tumores adormecidos, anunciando sua existência. É uma dura prova para quem está no fim da vida, disposto a usufruir apenas o que ela tem de melhor.

Há várias outras doenças que podem "despertar" a partir do uso da somatotrofina, e os diabéticos, principalmente, devem ficar alertas para elas. A retinopatia diabética, uma doença proliferativa da retina, que pode provocar até a cegueira, é mais um exemplo de doenças que podem surgir depois de uma má indicação desta substância.

Não quero, entretanto, afirmar que esses hormônios não devem ser utilizados, pois eles com certeza têm seu valor. Além de recuperar alguns prejuízos orgânicos decorrentes do avanço da idade, é possível que no futuro eles também possam abrir muitas frentes importantes de pesquisa médica. Mas insisto que é preciso ter mais cuidado na hora de administrar o GH e dosar sempre o IGF no sangue. Se a substância está normal, não há motivos para preocupação, mas caso se apresente aumentada, perigo à vista.

A recomendação vale também para as pessoas que usam os famosos anabolizantes para desenvolver a musculatura, que nada mais são do que somatotrofinas. Afinal, não são apenas as pessoas mais idosas que podem apresentar tumores cancerosos em repouso. Além disso, quem toma anabolizantes também está aumentando muito as chances de um problema hepático, pois o fígado pode responder mal quando precisa metabolizar altas quantidades de somatotrofina.

Há cerca de 30 anos, o mundo inteiro foi apresentado ao poder dos anabolizantes e suas perigosas conseqüências através da brilhante *performance* nas Olimpíadas dos atletas da Alemanha Oriental. Eles ganharam um número impressionante de medalhas nas competições graças ao uso dessas substâncias, mas desenvolveram sérios problemas hepáticos pouco tempo mais tarde.

Por fim, é muito importante a descoberta de que o intestino é rico em IGF e novas possibilidades se abrem na ciência a partir deste dado. É interessante notar ainda que o hormônio de crescimento é também um grande estimulador da nossa imunidade, porque aumenta a síntese das imunoglobulinas, as proteínas responsáveis pelo sistema imunológico.

VIP — Um hormônio de equilíbrio

Sabemos agora que existem dezenas de neurotransmissores atuando no nosso corpo, fazendo a indução elétrica entre os neurônios. Eles são, em sua maior parte, peptídios. Alguns neurotransmissores também funcionam como hormônios e por isso muitas vezes é difícil classificar essas substâncias. É o caso do VIP, sigla para peptídio vaso-intestinal, que tanto pode ser considerado um hormônio como um neurotransmissor.

A função mais conhecida do VIP no intestino é bem corriqueira: ele participa da motilidade intestinal, ajudando o bolo alimentar a seguir seu percurso. Recentemente, porém, verificaram outros papéis ainda mais nobres no organismo para esta substância. O VIP, na verdade, está relacionado com a secreção de vários outros hormônios, o que aumenta muito a sua importância.

Um exemplo bem simples é a prolactina, cuja ação mais conhecida é na lactação feminina. A mulher secreta muita prolactina após o parto para alimentar seu bebê, embora a secreção da prolactina não seja um privilégio feminino. Os homens também secretam este hormônio e alterações na sua produção podem causar problemas sérios, para ambos os sexos.

Mas a ação mais complexa do VIP nos remete a tudo que a ciência conhece hoje sobre o hipotálamo e, novamente, ao cientista Andrew Schally, um dos maiores pesquisadores desta importantíssima glândula. Antes dos estudos de

Schally, o que se conhecia era o mecanismo de regulação que existe entre a hipófise e demais glândulas como a tireóide, a supra-renal, os ovários, testículos e outras.

É da hipófise que partem os hormônios para as outras glândulas, mas estes hormônios, à medida que vão sendo recebidos, provocam a secreção pela glândula de outros hormônios, que partem em direção à hipófise com o objetivo de regular a produção daqueles primeiros hormônios. É o que se chama cientificamente de *feedback* negativo.

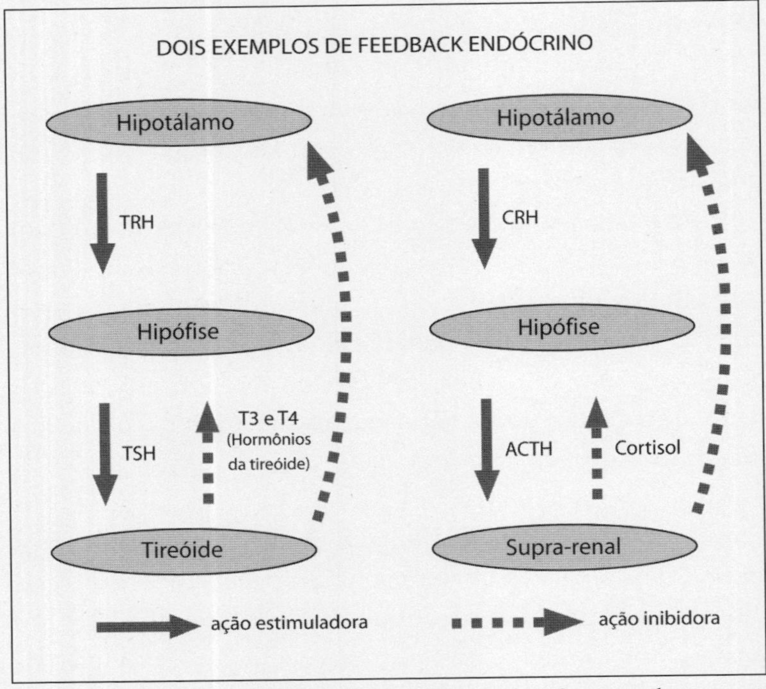

O hipotálamo secreta a tiroliberina (TRH) que na hipófise estimula a secreção do TSH, que vai aumentar a formação do hormônio da tireóide, que por sua vez bloquearia o TRH e o TSH. O mesmo acontece com a supra-renal. O hipotálamo secreta a corticoliberina (CRH), que atuaria sobre a secreção da corticotrofina (ACTH) pela hipófise, participando dessa forma na produção do cortisol.

Tudo parecia perfeito até que Schally demonstrou que este mecanismo endócrino era ainda um pouco mais complexo, porque o hipotálamo também participava dele. Na verdade, existem vários hormônios secretados pelo hipotálamo que vão agir sobre a hipófise, num segundo nível de *feedback* negativo.

A importância do VIP neste mecanismo é que ele participa ativamente da secreção de alguns hormônios hipotalâmicos. O VIP teria ainda uma função no delicado equilíbrio da saciedade, pois segundo pesquisas recentes ele atuaria também sobre os receptores intestinais da leptina. Por tudo isso, o VIP é visto hoje como um hormônio muito central, presente no equilíbrio de vários outros hormônios importantes.

Sabe-se também que o VIP tem uma participação importante na ereção masculina, onde sua ação está ligada a um outro neurotransmissor que tem se revelado cada vez mais essencial para o bom funcionamento de todo o corpo e que também está entre as substâncias que compõem o eixo cérebro-intestinal: o óxido nítrico.

15

O Imbatível Óxido Nítrico

No início do século XX, pastilhas de nitroglicerina eram largamente utilizadas no tratamento de pessoas que sofriam do coração. Isto porque ajudava na liberação de uma misteriosa substância, que foi chamada de EDRF (fator liberador derivado do endotélio). Ninguém sabia ao certo o que era o EDRF, mas ele efetivamente tinha efeito relaxante e provocava a dilatação dos vasos.

Hoje temos drogas de ação vasodilatadora bem mais eficazes, mas tanto os medicamentos modernos quanto a nitroglicerina do passado agem da mesma forma: liberando no organismo uma substância das mais interessantes, na verdade um neurotransmissor gasoso, o óxido nítrico.

Foi um pesquisador espanhol chamado Moncada o primeiro a identificar o óxido nítrico, há cerca de 20 anos. Radicado nos Estados Unidos, Moncada descobriu a substância na fumaça de um cigarro. Mais tarde verificou-se que pertencia ao óxido nítrico a ação vasodilatadora até então atribuída ao EDRF, o que foi uma grande surpresa. Ninguém imaginava que um gás pudesse ter uma importância tão grande no organismo.

O óxido nítrico é uma das moléculas mais simples que existe, composto apenas de nitrogênio e oxigênio, os dois gases mais abundantes na atmosfera. Como age a distância, poderia também ser considerado um hormônio. Mas, com a liberdade que a qualidade de gás lhe confere, o óxido nítrico não precisa de receptores e pode circular sem barreiras por todo o organismo, o que é uma grande vantagem.

Com passe livre entre as células, o óxido nítrico regula a pressão arterial e, no cérebro, beneficia a formação da memória. Melhor dizendo, o óxido nítrico é essencial para ela. Age ainda como um antioxidante, protegendo-nos da ação dos radicais livres. Mas, apesar de tantas qualidades, o óxido nítrico só conseguiu uma maior evidência nos últimos anos, quando na forma do famoso Viagra se tornou o remédio mais popular de todo o mundo.

O Viagra foi primeiro desenvolvido para ser utilizado em pacientes que sofriam de problemas coronarianos, pois agia como um liberador de óxido nítrico pelo endotélio, o tecido que reveste os vasos sangüíneos. Mas, ainda antes de ser lançado no mercado, constatou-se que a medicação resultava em ótimos benefícios para os homens que sofriam de impotência, já que a liberação de óxido nítrico também beneficia o endotélio dos vasos penianos, facilitando a entrada do sangue e conseqüente ereção. E foi o que se viu: o Viagra se tornou um dos mais bem-sucedidos medicamentos já lançados.

Em busca de um melhor desempenho sexual, muitos jovens conseguem comprar clandestinamente o Viagra, sem saber que estão colocando em risco suas vidas. A ação dilatadora do óxido nítrico liberado a partir do Viagra não vai agir apenas sobre o pênis ou o clitóris, mas também sobre todo o organismo, podendo levar a quedas bruscas de pressão.

Também no intestino

O óxido nítrico é fabricado no sistema nervoso a partir da ação da enzima óxido nítrico sintase (NOS) sobre um aminoácido chamado arginina. Hoje sabe-se que também há muita NOS no plexo nervoso do intestino. Portanto, o intestino também fabrica óxido nítrico. Assim como beneficia o resto do organismo, o óxido nítrico atua como um relaxante intestinal, melhorando a circulação sangüínea local. E tudo seria perfeito se não fossem os radicais livres.

A combinação do óxido nítrico com os radicais livres é um verdadeiro desastre para nós, pois resulta na formação do peroxinitrito, uma das substâncias mais tóxicas produzidas no organismo. No cérebro, o peroxinitrito pode acabar com a memória e desencadear uma série de doenças neurológicas.

A ação do peroxinitrito é verificada com freqüência em pessoas muito estressadas porque nelas há uma formação muito alta de catecolaminas, que liberam muitos radicais livres. Como o cérebro é rico em óxido nítrico, acontece a formação de peroxinitrito.

Infelizmente, é muito comum nos nossos dias casos em que se verifica os efeitos dessa perigosa substância. Tive como paciente há alguns anos uma alta executiva de uma multinacional, na época com 52 anos, chamada Sílvia. Ela estava preocupada com as freqüentes falhas de memória que começava a apresentar. Nos últimos meses, tornara-se completamente dependente de sua secretária. Embora não concordasse com a prática de levar para o trabalho seus assuntos pessoais, viu-se obrigada a passar para essa auxiliar uma lista com todas as datas comemorativas da família. A decisão aconteceu depois que Sílvia recebeu um telefonema do filho mais velho, lembrando-a que ele havia completado 30 anos no dia anterior.

Pelo ritmo de vida intenso que Sílvia levava, com muitas responsabilidades e viagens constantes, decidi começar dosando o seu peroxinitrito. Como já esperava, o resultado foi bastante acima do normal. Isso justificava também os constantes resfriados de Sílvia e os episódios de herpes bucal, sinal claro de que a sua imunidade estava abalada.

Era evidente que seria preciso tomar medidas urgentes, que incluíam um bom período de descanso, mas Sílvia alegava que não tinha como tirar férias num prazo menor que um ano. Receitei-lhe então potentes antioxidantes cerebrais como a acetilcarnitina, fosfatidilserina, taurina, inositol e ácido lipóico. Também lhe propus mudanças na dieta alimentar e técnicas de administração do estresse, como o relaxamento.

Os resultados do combate ao peroxinitrito foram percebidos em pouco mais de um mês, mas o melhor foi que Sílvia tomou gosto pelo tratamento. Assim que começou a sentir as melhoras, tirou uma semana de férias, que fez questão de passar em casa. Depois que reconquistou a confiança perdida com as falhas de memória, aprendeu a administrar o estresse. No trabalho, adaptou sua rotina a um ritmo mais lento e passou a tomar cuidados com a alimentação. Sílvia não quis mais abrir mão dos antioxidantes cerebrais e toma-os regularmente. Também não deixa de dosar o seu peroxinitrito, duas vezes ao ano.

No intestino acontece um mecanismo igualmente perigoso. Há nele não apenas muitos radicais livres, mas também boas quantidades de óxido nítrico, para promover a irrigação sangüínea e o relaxamento intestinal. O resultado disso é que o órgão é uma verdadeira bomba, que pode ser ativada rapidamente a partir da formação excessiva de peroxinitrito. Várias doenças inflamatórias intestinais, como a doença de Crohn e a colite ulcerativa, em que há destruição das microvilosidades da mucosa intestinal, começam com a formação dessa substância.

Por conta disso, já se cogitou o uso de um inibidor da NOS para cortar a formação de peroxinitrito no intestino, o que é um grande erro, ao meu ver. É claro que a saída mais inteligente é cortar a formação de radicais livres, cujo excesso é o grande perigo! Por isso a importância de uma alimentação rica em antioxidantes.

Mudar o hábito alimentar é uma receita infalível e sempre a recomendo, junto com alguns antioxidantes potentes, para quem precisa administrar o excesso de peroxinitrito. A bem da verdade, melhorar a alimentação é positivo em qualquer distúrbio de saúde, que nada mais é do que um alerta do organismo de que algo não vai bem. Se melhorarmos a qualidade do nosso "combustível", as chances de melhora da nossa "máquina" são bem maiores.

Sei que mudar hábitos alimentares não é fácil, pois é enorme o prazer que os alimentos industrializados podem proporcionar ao paladar hoje em dia. Por isso, para alguns pacientes começo propondo algumas mudanças pontuais, sem radicalismos, como uma descoberta gradual dos prazeres de comer mais frutas, sucos, grãos integrais e vegetais frescos.

Até mesmo por conta da vida mais longa que todos temos pela frente, em virtude do aumento da expectativa de vida em nosso país, devemos lembrar sempre da importância dos alimentos naturais. Eles são com certeza uma forma eficiente de enfrentarmos a ameaça das doenças neurodegenerativas.

Já existem, inclusive, relatos na literatura científica de pacientes que melhoraram de doenças sérias, como o mal de Parkinson, investindo na alimentação vegetariana. Isso porque o parkinsonismo se caracteriza principalmente pela falta de formação no cérebro de dopamina, substância que é altamente atingida pelo peroxinitrito.

Eu mesmo conheci recentemente um caso precoce de parkinsonismo que foi muito beneficiado a partir de uma mudança radical de dieta. Roberto, com apenas 48 anos, já estava começando a tratar de sua aposentadoria, pois como dentista não poderia mais trabalhar. O avanço da doença havia sido muito rápido no seu caso, pois apenas seis meses antes do diagnóstico ele não tinha nenhum problema, a não ser alguns episódios de esquecimento.

Por sorte, Roberto não apresentava depressão, o que é comum em pacientes de Parkinson e também em muitas pessoas que recebem um diagnóstico grave. Conversamos muito e ele ficou animado ao saber que a dieta vegetariana poderia ajudá-lo. Naquele mesmo dia, recusou-se a comer carne no jantar. Na manhã seguinte, comprou um livro sobre alimentação natural e começou a adotá-la, com o apoio de sua esposa, que decidiu acompanhá-lo na mudança.

Na vez seguinte em que nos encontramos, Roberto contou-me que estava perfeitamente adaptado e não sentia a menor falta de carne. Tentei persuadi-lo a comer pelo menos carne de peixe, que considero essencial para a boa saúde, mas Roberto já havia se tornado um típico defensor da alimentação vegetariana radical. Sentia-se muito melhor, seu intestino funcionava com uma regularidade nunca vista antes e ele dizia que, não fossem os remédios que precisava tomar, poderia esquecer que sofria do mal de Parkinson. Nem mesmo a aposentadoria lhe passava mais pela cabeça.

Óxido nítrico e colesterol

A grande maioria das pessoas acredita que tem no colesterol um grande inimigo, como se não fosse essa gordura a responsável pela produção de substâncias importantíssimas como os hormônios sexuais, os da supra-renal e outras. Acredita-se que o HDL é o colesterol que não faz mal, enquanto que o LDL é o grande responsável pela formação das placas de ateroma, que obstruem as artérias.

Como insisto em afirmar, não há um bom e um mau colesterol. Não sintetizaríamos no nosso próprio corpo uma substância que nos fosse tão nociva. Tudo acontece porque o LDL é facilmente oxidado pelos radicais livres, ao contrário do HDL. Para entender bem isso, é preciso conhecer melhor o colesterol e a forma como ele atua dentro das células.

O LDL é uma substância constituída de proteína e lipídios, entre eles o colesterol. Todas as células possuem receptores de LDL, nos quais essa substância tem que se fixar para entrar. Já dentro da célula, as proteínas vão ser degradadas em aminoácidos e o colesterol vai exercer suas várias funções. Mas, ao mesmo tempo, o colesterol introduzido bloqueia a formação dos receptores de LDL, evitando a fixação e a entrada de mais LDL, num mecanismo de *feedback*.

Mas os radicais livres não dão trégua e também podem oxidar o LDL. Quando isso acontece, ele assume a capacidade de entrar direto na célula, sem precisar se fixar nos receptores. O grande prejuízo disso é que o mecanismo de *feedback* não acontece. Entrando direto na célula, o LDL oxidado começa a se acumular, criando as placas de ateroma.

Conhecendo esse mecanismo, é possível então perceber que de fato não existe um colesterol bom e outro ruim. O que acontece é que o LDL, que temos em maior quantidade no organismo, é muito mais vulnerável à ação dos radicais livres do que o HDL. Portanto, é o radical livre, e não o LDL, o grande vilão da história.

Mas o que se descobriu recentemente de mais interessante sobre tudo isso é que existe uma substância com a capacidade de bloquear a oxidação do LDL pelos radicais livres. E essa substância é justamente o óxido nítrico. Portanto, ele é capaz de ajudar a evitar a formação das perigosas placas de ateroma.

Outras atuações

O óxido nítrico é uma substância bastante surpreendente e até no crescimento dos cabelos já demonstrou ter ação. Este fato foi verificado há alguns anos, após o lançamento de um remédio para controlar a hipertensão, o Minoxidil, que passou a apresentar um curioso efeito colateral: o aumento de pêlos pelo corpo.

Os pacientes do sexo masculino que já sentiam a ameaça da calvície logo perceberam — e aprovaram — o efeito colateral do medicamento que, como se verificou mais tarde, ativava a liberação do óxido nítrico nos folículos pilosos, fazendo com que os cabelos crescessem.

A indústria farmacêutica que fabricava o medicamento não perdeu tempo e pouco depois a fórmula chegou às prateleiras das farmácias em forma de uma potente loção capilar, que realmente ajudou muitos homens a recuperar os fios perdidos.

Já são conhecidos agora alguns mecanismos de sinergia do óxido nítrico com outras substâncias, e o VIP é uma delas.

No intestino, as duas substâncias atuam juntas, uma complementando a ação da outra. Também na ereção peniana, a liberação do óxido nítrico é acompanhada da liberação do VIP.

Recentemente, pesquisas revelaram que o ronco está relacionado à deficiência de óxido nítrico. Um outro dado curioso é que este gás favorece a formação da luz no vagalume.

No passado, quando ainda não se conhecia o poder dos radicais livres, a descoberta que o óxido nítrico tinha o poder de beneficiar a *performance* do cérebro foi abalada pela constatação de que a mesma substância também era a grande causadora das lesões neuronais, na forma do peroxinitrito.

Esse fato levou os cientistas a calorosas discussões, nas quais se perguntavam quem era afinal o óxido nítrico: o "médico" ou o "monstro"? Ninguém conseguia entender como uma substância tão útil para o organismo poderia ao mesmo tempo ser um grande desencadeador de doenças cerebrais. Até que o mistério foi resolvido, mais uma vez, à luz dos conhecimentos sobre os radicais livres.

O que se verificou é que o óxido nítrico era realmente o "médico", um grande beneficiador da circulação sangüínea e da atividade cerebral. O "monstro" no caso era o radical livre, que formava o perigoso peroxinitrito quando se combinava com o óxido nítrico. Mais uma vez, ficou comprovado que são os radicais livres os grandes vilões da nossa saúde e, portanto, é com eles que devemos nos preocupar se queremos viver e envelhecer com saúde.

Somatostatina e óxido nítrico na cura do câncer

Além de produzir enzimas para digerir os alimentos, o pâncreas secreta substâncias que vão para o sangue, entre as quais a mais conhecida é a insulina. Mas o pâncreas secreta também um hormônio chamado somatostatina, cujas ações mais conhecidas no passado eram a de inibir a acidez estomacal e diminuir a motilidade do intestino.

Recentemente, verificou-se que a somatostatina também é secretada no hipotálamo e faz parte do grupo de hormônios inibidores produzidos nesta glândula. No caso, inibe na hipófise a secreção da somatotrofina, popularmente conhecida como o hormônio de crescimento.

É evidente a aplicação da somatostatina no câncer. Se os tumores precisam do hormônio de crescimento para proliferar, a somatostatina poderia conter o avanço da doença. De fato foi o que aconteceu, e a somatostatina tem provado ser eficente no combate ao câncer.

Outra aplicação atual da somatostatina é nas diarréias graves, quando age inibindo a ação de hormônios gastrintestinais como a motilina, que aumenta a motilidade intestinal. Também se sabe hoje que a somatostatina tem um papel muito importante na formação do leite da mulher, embora não existam ainda indicações claras de sua participação neste processo.

Mais um dado interessante recentemente descoberto sobre a somatostatina é que o hormônio também está envolvido no ganho de peso. Trabalhos recentes demonstraram que a substância controla a secreção de hormônios anorexígenos como a colecistoquinina.

Apesar de tantas aplicações, é de se esperar que o principal interesse dos pesquisadores para com a somatostatina se dê a partir de sua ação no combate ao câncer, e o hormônio já vem sendo usado terapeuticamente no tratamento da doença, apesar do seu altíssimo preço. Mas o óxido nítrico também está provando ser importante nesta grande empreitada científica.

Pelo menos de duas formas a ação do óxido nítrico vem sendo estudada nas pesquisas de cura para o câncer. A primeira delas é através da inibição da angiogênese, que é a capacidade que toda célula tem de dar origem a outras células através da formação de novos vasos sangüíneos. No caso do câncer, a angiogênese é um sério problema, pois a proliferação, evidentemente, é de células cancerosas. Secretando substâncias chamadas de fatores angiogênicos, as células cancerosas formam novos vasos sangüíneos, garantindo assim o alastramento da doença pelo organismo.

Há alguns anos o cientista norte-americano Judah Folkman deu uma grande contribuição à luta contra o câncer quando descobriu a existência de uma série de substâncias capazes de inibir a angiogênese. O óxido nítrico é uma delas.

Testes importantes da ação antiangiogênica do óxido nítrico para o câncer utilizam um pouco da tecnologia já experimentada para a cura de doenças causadas por vírus, como a Aids. Nessas experiências, procura-se matar os vírus através da intoxicação das células onde eles estão alojados. Ao contrário das bactérias, os vírus precisam de um tecido vivo como as células para viverem e se reproduzirem.

Volta e meia são realizadas pesquisas em que se injeta uma célula com vírus tóxico em uma célula cancerosa, para matá-la. Já há experiências no sentido de colocar a NOS num vírus e injetá-lo nas células cancerosas, a fim de que o óxido nítrico produzido iniba a angiogênese e paralise a doença.

A outra ação do óxido nítrico no câncer se deve à sua participação sobre os chamados genes supressores tumorais. Existem no organismo mais de dez destas substâncias que bloqueiam o crescimento dos tumores. E uma delas é o P-53, que atua sobre a célula cancerosa e, ao que tudo indica, tem sua formação estimulada pelo óxido nítrico. Recentemente, algumas pesquisas indicaram que a serotonina também estimula a formação do P-53.

Sabe-se que o P-53 baixa muito em presença de uma inflamação e outras doenças graves. No intestino, depois de uma doença inflamatória, como a colite ulcerativa, é comum o surgimento de um câncer. Neste caso, a doença pode ser atribuída também ao peroxinitrito, que tende a baixar os níveis de P-53.

A revolução no tratamento do câncer

Todas os conhecimentos envolvendo a somatostatina e o óxido nítrico representam um passo importante que a ciência firma no caminho da cura do câncer. E acredito que essa viagem esteja bem próxima do fim, graças também aos maravilhosos avanços da engenharia genética. Mas é preciso ressaltar os benefícios que o uso dos antioxidantes vêm proporcionando aos pacientes desta doença.

Nos países onde a pesquisa médica está mais avançada, medicamentos clássicos e antioxidantes são associados em várias terapias para o tratamento do câncer, sem nenhum problema ou preconceito. Não se discute mais o valor dessas substâncias. Alguns antioxidantes, como a quercetina, uma substância presente na cebola, no brócolis e na uva, estão conseguindo resultados fabulosos.

É preciso reconhecer, entretanto, que as duas terapias devem ser associadas, principalmente quando se trata de uma doença delicada como o câncer. Muitos pacientes que me procuram chegam com a esperança de que os antioxidantes possam tomar o lugar da quimioterapia, o que não é possível. O que os antioxidantes fazem, e muito bem, é ajudar o organismo a se recompor e também minimizar os efeitos das medicações fortes, evitando, inclusive, as complicações intestinais que sempre acompanham os pacientes quimioterápicos.

O mesmo acontece com a Aids. O coquetel de drogas continua a ser importantíssimo na terapia contra o vírus HIV, mas são inegáveis os benefícios que conseguem aqueles que associam a terapia clássica para a doença com as vitaminas e os antioxidantes. Novamente, uma das melhoras mais notadas é no funcionamento intestinal, melhorando sobremaneira a imunidade e o estado geral do paciente. Aliás, Montaignier, descobridor do vírus HIV, aconselha atualmente a associação de antioxidantes na terapia da Aids.

NGF, GDNF e substância P — Boas-novas nas doenças da idade

A maioria das pesquisas realizadas hoje sobre doenças neurodegenerativas passa pelas neurotrofinas, que são substâncias que nutrem o sistema nervoso. O que se deseja é regenerar os neurônios com o uso dessas neurotrofinas em pacientes com doenças como o mal de Alzheimer e o mal de Parkinson.

Muitos avanços foram feitos a partir de um simpósio sobre Alzheimer realizado na Filadélfia, em 1991. Nesse evento, foi apresentado um trabalho mostrando que ratos com a doença melhoravam muito quando recebiam uma injeção no cérebro de uma neurotrofina conhecida pela sigla NGF (*nerve growth factor*), que causa o crescimento dos neurônios.

A apresentação do trabalho encheu de esperanças os pesquisadores de Alzheimer. O raciocínio lógico levou-os a imaginar que a melhora verificada com os ratos se repetiria nos humanos. Bastaria produzir o NGF por engenharia genética, como se faz com a insulina, o hormônio de crescimento e tantas outras substâncias, injetá-lo nos pacientes de Alzheimer e pronto. A melhora viria rápido.

Mas na prática isso não aconteceu, porque o NGF produzido em laboratório não conseguiu passar pela barreira que existe entre o sangue e o cérebro, a barreira hematoencefálica, que impede que substâncias nocivas contidas no sangue penetrem no cérebro. A esperança dos pesquisadores só foi reacesa quando se descobriu que algumas substâncias tinham o poder de estimular a síntese do NGF no cérebro. Vários antioxidantes como a vitamina D, a adenosina e a acetilcarnitina podem facilitar a regeneração neuronal por este caminho e por isso já são utilizados em várias doenças neurodegenerativas, até de forma preventiva.

No mal de Parkinson, sabe-se que existe uma outra neurotrofina, o GDNF, que é capaz de melhorar os sintomas da doença. O GDNF aumenta o L-dopa, um aminoácido que vai formar a dopamina. Esta é um neuro-hormônio que atua na substância nigra, que é a área cerebral atingida no parkinsonismo. O GDNF também aumenta a formação de receptores de serotonina e por isso é tão importante para o cérebro.

Hoje se sabe que as neurotrofinas — existem mais de dez delas — não atuam apenas no sistema nervoso central e podem ajudar muito no alívio de alguns distúrbios do sistema nervoso periférico. Por isso já vêm sendo usadas nas neuropatias diabéticas, e também com pacientes em uso de quimioterapia, que muitas vezes têm dificuldade de locomoção devido a dores fortes nos membros, causadas pela degeneração dos nervos.

Mas o último dado recentemente descoberto é que o grande local de formação das neurotrofinas no organismo é o intestino! Na qualidade de "segundo cérebro", o nosso órgão de absorção também fabrica uma quantidade brutal dessas substâncias, principalmente o NGF. Portanto, assim como atuam na regeneração dos neurônios cerebrais, as neurotrofinas devem ter um papel importante na regeneração do plexo nervoso do intestino.

Pacientes de Parkinson também têm problemas intestinais com freqüência, o que significa que a redução de GDNF deve se dar também no intestino. Esta relação parece bem provável, no entanto, não existe ainda comprovação científica sobre ela. Seria muito simples imaginar que o GDNF fabricado pelo intestino vá para o cérebro, mas sabemos que não é assim que acontece, por causa da barreira hematoencefálica. O que se pesquisa é a possibilidade de um mesmo fator, ainda não conhecido, provocar uma baixa de GDNF tanto no cérebro quanto no intestino.

Atualmente, outras esperanças de cura para o mal de Parkinson estão baseadas no estudo de outro hormônio, conhecido como substância P. Na substância nigra, ao mesmo tempo em que há deficiência de dopamina, há uma grande quantidade de substância P. O mesmo acontece em pessoas portadoras de esclerose lateral amiotrófica (ELA), aquela terrível doença que mantém o ilustre físico inglês Stephen Hawking preso a uma cadeira de rodas, sem controle sobre seus movimentos. Viciados em heroína e cocaína também possuem grande quantidade de substância P no cérebro.

Admite-se hoje que a substância P tem muita importância na gênese do parkinsonismo, mas por enquanto ainda não se sabe ao certo qual o seu papel. Algumas correntes acreditam que o mal de Parkinson seja causado por uma deficiência de substância P e é possível que o aumento dessa substância seja uma reação dos neurônios para tentar evitar a degeneração que está acontecendo no cérebro.

Pesquisadores descobriram que a substância P também é secretada pelo intestino, e que neste órgão é capaz de estimular a imunidade local. Descobriu-se ainda que tanto a serotonina como a colecistoquinina aumentam a quantidade de substância P no intestino.

A substância P também é conhecida hoje como um dos hormônios mais importantes para o crescimento do cabelo, e de fato isso é muito observado na clínica. Pessoas que convivem com problemas intestinais têm tendência a perder cabelo. Principalmente nas mulheres, que não têm tendência à calvície como os homens, a queda de cabelo é sempre um indício de problema intestinal.

Memória no intestino?

Uma das últimas notícias envolvendo cérebro e intestino gira em torno do NMDA, receptores cerebrais para o ácido glutâmico, uma substância fundamental para a formação de memória e que tem a capacidade de desencadear a formação de óxido nítrico no cérebro. Mas para entender essa questão, é preciso voltar aos aminoácidos.

Além dos aminoácidos naturais que circulam no organismo a partir da nossa alimentação, existem ainda aminoácidos sintéticos, que são produtos laboratoriais, conhecidos como D-aminoácidos. Dentro deste critério, os aminoácidos naturais são conhecidos como L-aminoácidos.

Recentemente, pesquisadores identificaram no cérebro humano enzimas que metabolizam os D-aminoácidos, o que foi uma surpresa. Não era esperada a presença no cérebro de enzimas para metabolizar substâncias não-naturais. Mas maiores surpresas viriam, e algum tempo depois verificou-se que havia também no cérebro uma grande quantidade de uma enzima que transforma os L-aminoácidos em D-aminoácidos, a chamada racemase. A racemase transforma, por exemplo, a L-serina, que é um aminoácido natural, em D-serina. E é justamente a D-serina a chave do enigma.

A D-serina tem a capacidade de se fixar nos receptores cerebrais de NMDA, que atuam sobre a memória. A D-serina é então transformada em piruvato, uma substância intermediária do metabolismo dos glicídeos, principais alimentos do cérebro. Já foi verificado ainda que a D-serina está drasticamente ausente no cérebro dos esquizofrênicos com tendência à depressão.

Recentemente, descobriu-se que a racemase também está presente em grande quantidade no intestino, assim como o NMDA e a D-serina. Como ainda não se tem conhecimento da existência de uma memória intestinal, a razão da presença dessa substância no órgão ainda permanece um mistério. Mas não há dúvidas de que todos esses conhecimentos são indícios de fatos muito importantes, a serem desvendados no futuro.

O GIP, a resistina e o diabetes

O avanço da tecnologia na medicina mudou para melhor a vida de quem tem diabetes. Novas medicações e formas mais simples de controlar a glicose tornaram a convivência com a doença mais fácil. Só no Brasil, existem cerca de dez milhões de diabéticos, sendo que 90% são do tipo 2.

Os recentes estudos sobre o sistema gastrintestinal estão abrindo novas possibilidades para a cura do diabetes e uma das maiores esperanças neste sentido está na ação de um hormônio descoberto há cerca de 20 anos e conhecido pela sigla GIP, que significa peptídeo inibidor gástrico. Trata-se de uma substância secretada no duodeno e que, entre outras propriedades, inibe a secreção da gastrina e conseqüentemente do ácido clorídrico. Há poucos anos, o GIP foi identificado no cérebro.

Hoje são conhecidos mais detalhes sobre o GIP, inclusive o seu importante papel sobre a insulina, o hormônio secretado pelo pâncreas para metabolizar a glicose. As pesquisas sobre o GIP, inclusive, permitiram o entendimento de um mistério que intrigava os pesquisadores: por que a liberação de insulina no sangue é muito maior quando a glicose é ingerida por via oral do que quando ela é injetada na veia.

Num mecanismo homeostático do organismo, a liberação da insulina é proporcional à quantidade de glicose que chega ao sangue. Assim, pela lógica, a injeção de glicose na veia deveria liberar mais insulina, já que a glicose ingerida ainda teria que passar por todos os percalços da digestão e da absorção até chegar ao sangue.

Hoje se sabe que a glicose ingerida por via oral aumenta mais a liberação de insulina porque está nas mucosas intestinais o maior liberador de insulina do organismo, que é justamente o GIP. Está claro, então, que o GIP tem um papel muito importante no controle do diabetes.

Tem-se dado uma importância muito grande à questão da insulina porque o seu desequilíbrio no organismo é realmente um problema sério. Se pouca insulina é ruim, esse hormônio em grande quantidade também não é nada bom, porque, além de metabolizar a glicose, ele forma gorduras.

Infelizmente, ainda não se conhece o suficiente sobre o mecanismo de liberação de insulina a partir do GIP, mas sabe-se que existem ainda outros hormônios com esta propriedade. Um deles é a secretina, aquele hormônio identificado por Bayliss e Starling em 1902, que tem estrutura muito semelhante ao GIP. Há indícios de que a secretina também possui ação na liberação da insulina.

Ainda outras substâncias vêm sendo pesquisadas nos últimos anos sobre o diabetes, sendo de todas a mais importante a resistina. Trata-se de um hormônio secretado pelo tecido gorduroso que inativa a ação da insulina, provocando a doença.

A descoberta da resistina, bem mais recente do que a do GIP, explica por que as pessoas obesas, que têm muito tecido adiposo e portanto muita resistina, apresentam uma certa tendência ao diabetes. E sobre a resistina, verificou-se que ela também é secretada no intestino.

Como se percebe, são muitas as novidades que estão por vir para a cura do diabetes e os hormônios gastrintestinais estão diretamente envolvidos nelas. Quando a ciência conhecer mais sobre estes hormônios, a doença poderá ser curada ou pelo menos controlada de forma menos sacrificante.

Quanto às restrições alimentares, existem muitos tabus que precisam ser quebrados e por isso é importante que os diabéticos procurem informação e conversem sempre com seus médicos. Uma boa novidade é o índice glicêmico dos alimentos, que permite saber o nível de aumento da glicose que cada um deles provoca no sangue.

Sob este novo paradigma, verificou-se que o macarrão, a batata-doce e o feijão possuem índices glicêmicos baixos. Entre as frutas, mais surpresas. De fato a banana, o melão e a melancia têm um índice alto e portanto devem ser evitados por quem tem diabetes, mas a laranja, a pêra e a maçã apresentam um índice glicêmico muito baixo, podendo fazer parte da dieta dos diabéticos. Isso significa melhorias importantes na qualidade de vida dessas pessoas.

Sempre recomendo também aos diabéticos que cuidem muito bem de sua digestão. Isso é fundamental porque quem tem diabetes normalmente apresenta problemas nesta função, já que as enzimas secretadas pelo pâncreas são fundamentais para a degradação dos alimentos. O funcionamento pancreático nos diabéticos possui sempre um certo grau de comprometimento, e por isso aconselho a eles que tomem substâncias que possam melhorar os processos da digestão, diariamente.

Os antioxidantes também estão melhorando muito o controle do diabetes, pois a doença figura entre as que apresentam as concentrações mais altas de radicais livres. As vitaminas E, C e as do complexo B, e o cromo e o vanádio, minerais que aumentam a atividade dos receptores de insulina, são os antioxidantes mais utilizados, e os resultados são sempre muito bons.

PARTE IV

16

As Questões Alimentares

Os aspectos negativos da alimentação moderna têm sido muito discutidos nos últimos anos e já é possível perceber um movimento de reação a eles. Está crescendo o número de pessoas que colocam a qualidade do que comem como um critério importante, buscando sempre alimentos saudáveis e naturais. No futuro, estes movimentos isolados poderão despertar uma consciência mais ampla de que a nossa alimentação é a base de tudo.

É lógico que está havendo um desequilíbrio grave na alimentação humana e há muitos dados que confirmam isso. Não é natural, por exemplo, que uma pessoa tenha compulsão por um alimento que irá prejudicar sua saúde, como acontece com freqüência hoje. Isso não ocorre em nenhuma outra espécie na natureza. Tal constatação acaba por desencadear uma discussão interessante acerca do paladar e da escolha do que comemos.

Todos nós precisamos de alimentos, eles são o nosso combustível. O corpo depende deles para executar suas funções. Mas ninguém escolhe o que come aleatoriamente. Se assim fosse, o homem não precisaria desenvolver um paladar tão requintado, capaz de perceber tantas nuances de sabor. Há um sentido lógico em cada escolha alimentar que fazemos. Existe uma razão pela qual algumas pessoas gostam de frutas e outras preferem massas, porque há gente que adora alho e outras que odeiam esse tempero.

Se um dia alguém é surpreendido por um desejo de comer algo que normalmente não costuma comer, como uma cebola crua, certamente seu corpo está precisando de algum nutriente contido naquele alimento. A princípio, há sempre uma razão autêntica do corpo escondida nos nossos desejos alimentares.

Um exemplo disso é a avidez por carboidratos que acomete boa parte das mulheres na fase pré-menstrual. Várias pesquisas já foram realizadas sobre este tema, na tentativa de descobrir se esta avidez é uma causa ou uma cura para os sintomas do período que antecede a menstruação feminina.

É possível que a sabedoria do corpo mais uma vez esteja se mostrando através desta avidez por carboidratos, como alguns trabalhos sugerem. Os carboidratos estimulam a absorção do triptofânio, o aminoácido precursor da serotonina, como sabemos. Portanto, os carboidratos têm o poder de acalmar a mulher na fase pré-menstrual, quando o movimento dos hormônios femininos tende a torná-la mais tensa e irritada. A busca da mulher pelo carboidrato nesta fase seria então uma busca natural pelo seu equilíbrio.

Pode haver um outro fator alimentar envolvido na questão da tensão pré-menstrual. Ainda que as mulheres já sofressem desse mal no passado, parece claro que o distúrbio atinge um número cada vez maior delas. É bem possível que isso venha acontecendo por falta de nutrientes, porque as mulheres que sofrem com a TPM melhoram bastante quando passam a adotar uma dieta mais rica e equilibrada.

Um dos trabalhos sobre a avidez por carboidratos na fase pré-menstrual demonstra esse fato. Verificou-se que algumas mulheres estudadas diminuíam muito o seu consumo de carboidratos durante o mês, por medo de ganhar peso. Mas, quando chegavam os dias que antecediam a menstruação, elas comiam três vezes mais carboidratos do que o normal. O trabalho demonstrou que quando as mulheres mantinham o seu consumo de carboidratos de uma forma constante ao longo do mês, a avidez pré-menstrual não era tão gritante, e os sintomas da TPM se mostravam mais amenos.

A fala do corpo

Não seria exagero afirmar que estamos perdendo a capacidade de "ouvir" o que o nosso corpo quer nos dizer, de entender os seus pedidos alimentares. O corpo ainda reage, tenta se fazer entender, mas nem sempre é ouvido. Estamos desenvolvendo uma surdez perigosa, que pode dar a partida para algumas doenças.

É exatamente o que acontece quando estamos num ritmo muito intenso de trabalho, adiando continuamente a parada necessária para "recarregar as baterias", convencendo-nos de que as férias podem esperar mais um pouco. Nesta situação, é comum que um simples tombo tenha conseqüências mais graves, como a quebra de um osso, que acabará determinando um descanso forçado. Quando não queremos entender o que o corpo nos diz, ele próprio encontra uma forma de conseguir o que precisa.

O ritmo da vida moderna, que nos faz comer apressadamente e substituir as refeições por lanches, é com certeza uma das razões pelas quais evitamos o diálogo com o nosso próprio corpo. Estamos sujeitos também à publicidade maciça de produtos alimentares, que acabam interferindo na escuta que deveríamos ter com as nossas necessidades nutricionais. O apelo de um belo sanduíche estampado num *outdoor* ou um maravilhoso sorvete que aparece na televisão é muito maior do que a autêntica reivindicação nutricional do organismo.

Mas isso ainda não é tudo. A ditadura da magreza que se instalou entre nós nos últimos anos está influindo de forma muito negativa na dieta alimentar, principalmente das mulheres. Algumas simplesmente deixaram de comer arroz com feijão por medo de engordar! Outras substituem um suco de laranja por um refrigerante *light*, porque tem menos calorias! Vivemos a era da magreza a qualquer preço, mas pouca gente reflete sobre as conseqüências disso.

Uma alimentação equilibrada é a melhor maneira de prevenir doenças, e a osteoporose é um exemplo de como o corpo pode sofrer por causa de escolhas alimentares equivocadas. Nos últimos anos, muito se tem falado sobre esta doença nos adultos, mas poucos lembram que as crianças também correm um grande risco de desenvolver a osteoporose atualmente, quando consomem refrigerantes e farinhas refinadas em grande quantidade.

Essa é uma questão bastante preocupante porque a dieta da maioria das crianças atualmente é composta por alimentos pobres em cálcio e ricos em substâncias que roubam o cálcio, como é o caso do fósforo contido nos refrigerantes.

E esse consumo exagerado de substâncias que competem com o cálcio acontece justamente na época da formação óssea.

Os ossos são formados até os 21 anos de idade, em média. A partir dessa fase, o que se tem que fazer é manter na alimentação uma quantidade adequada do mineral de modo que este mantenha-se sempre disponível no sangue para outras funções. O cálcio, e também o magnésio, não é importante apenas para os ossos, mas também para os músculos, o coração e o funcionamento cerebral.

Se as crianças estão com uma alimentação pobre em cálcio, de onde o organismo vai retirar este mineral? É claro que das reservas naturais de cálcio, que estão nos ossos. Isso é a osteoporose. Portanto, corremos o grave risco de ter no futuro um número grande de jovens afetados por esta doença.

O que podemos verificar hoje é que a alimentação se tornou uma função orgânica das mais complicadas, pois o ato de comer deixou de ser apenas o meio de sustentação do organismo para se transformar num instrumento de compensação de tristezas, ansiedades e frustrações.

É triste perceber como muitas pessoas estão completamente condicionadas aos alimentos industrializados, distantes dos prazeres — e vantagens — que os alimentos naturais podem proporcionar. Por isso é tão importante refletir sobre as reais necessidades do nosso corpo e as interferências que sofremos na escolha dos alimentos, e mudar de verdade, em nome de uma vida mais saudável para nós e para as crianças.

Felizmente existem movimentos de mudança e um dos mais promissores é com certeza a agricultura orgânica, capaz de fornecer ao nosso intestino o melhor tratamento que ele pode desejar. Infelizmente a oferta dos produtos dessa atividade ainda é muito pequena no Brasil, mas a tendência é que aumente nos próximos anos.

Alimento orgânico é aquele que foi criado ou cultivado sem nenhum adubo ou aditivo químico. O adubo é feito com restos de folhas, húmus de minhoca e elementos da própria natureza. É tudo ecologicamente correto e nutricionalmente mais do que correto, porque o teor nutricional do vegetal está diretamente ligado ao que existe no solo. Se este é rico e nutritivo, o vegetal também o será. Quando o solo é pobre, porque está quimicamente aditivado, o vegetal incha, mas fica extremamente pobre em termos nutricionais. Hoje há grandes estudos feitos por agrônomos para a criação de farinhas de nutrientes para adicionar ao solo, sem aditivos químicos ou substâncias que possam matar insetos ou quaisquer outros seres que vivem no solo.

Infelizmente muitas pessoas se deixam enganar pela aparência dos alimentos e acham que as verduras, frutas e legumes mais bonitos são mais ricos em nutrientes, o que não é verdade. A aparente beleza desses alimentos na maioria das vezes é o resultado da ação de agrotóxicos e fertilizantes nocivos, muitos deles proibidos na maioria dos países, mas ainda utilizados no Brasil.

O problema que os alimentos orgânicos enfrentam hoje para ocupar espaço no mercado envolve os custos de produção, que elevam o preço final para o consumidor. O cultivo é artesanal e, por isso, a mão-de-obra necessária é bem maior. Além disso, a fruta, legume ou verdura orgânicos demoram mais tempo para crescer e as perdas no cultivo são maiores também.

Mas o importante é que este tipo de agricultura está se ampliando. Há poucos anos, os produtores vendiam apenas por encomenda e hoje alguns supermercados já possuem gôndolas exclusivas para produtos orgânicos. Quando nós, consumidores, exigirmos mais alimentos orgânicos, haverá mais demanda, os preços ficarão competitivos e teremos mais oferta desses produtos.

Mais razões para comer fibras

Há mais ou menos 50 anos, o Dr. Denis Burkitt, um conceituado cientista inglês, verificou que entre as tribos africanas havia uma incidência muito baixa de distúrbios gastrintestinais, inclusive de câncer de cólon. Embora na África a qualidade aparente da alimentação fosse bem pior do que na Inglaterra, a incidência de problemas daquela ordem era bem menor, para surpresa do cientista.

Curioso por descobrir as razões de sua constatação, Burkitt começou a fazer uma análise da dieta alimentar dos africanos. O estudo resultou no primeiro trabalho científico sobre as fibras alimentares e representou um ganho muito grande para o Ocidente. Foi quando se descobriu que existe uma relação clara entre a boa saúde e a quantidade de fibras que se ingere na alimentação.

Ainda que muito já se tenha falado e estudado sobre as fibras depois do trabalho pioneiro de Burkitt, até hoje existe muita confusão sobre essas substâncias. Há até pessoas que acreditam consumir fibras porque comem muita carne que, afinal de contas, possui fibras. Mas na verdade as tão recomendadas fibras nada mais são do que um tipo de carboidrato que constitui a parede celular dos vegetais. Portanto, sempre que se fala em fibras, está se falando de vegetais.

As fibras não são cem por cento digeridas e é esse o grande benefício delas, por vários motivos. O principal deles é que as fibras são fermentadas pelas nossas eficientes bactérias intestinais, como já vimos, fazendo com que as fezes adquiram volume e peso. Isso facilita a motilidade intestinal e contribui para o bom funcionamento do intestino.

Quem come muitas fibras tem fezes mais volumosas, o que é uma grande vantagem. Dietas ricas em fibras produzem fezes em geral cinco vezes mais pesadas do que as produzidas em dietas pobres em fibras. Com mais volume, as fezes passam facilmente pelo cólon e evitam o estresse na parede intestinal, impedindo a formação de hemorróidas e divertículos, que são protuberâncias que surgem na parede do cólon quando ela está fragilizada.

Há dois tipos de fibras e é muito importante comer ambas. As fibras insolúveis são aquelas que não se solubilizam em água, como o seu nome diz, e têm como maior função formar o bolo fecal e empurrá-lo para a eliminação. Possuem fibras insolúveis as leguminosas, o farelo de trigo e os farelos em geral, os cereais integrais.

Já as fibras solúveis em água dão volume às fezes, o que é importantíssimo para que elas percorram seus trâmites corretamente, e também ajudam a baixar o colesterol ingerido na alimentação, impedindo que ele seja absorvido. Esse tipo de fibra provoca ainda a sensação de saciedade, justamente por absorver água. Está presente nas frutas cítricas, na maçã, no morango, na aveia e nas leguminosas.

Diminuindo a estada do bolo fecal no intestino e aumentando o volume das fezes, as fibras proporcionam ao organismo um benefício do qual os norte-americanos ficaram muito tempo privados, por conta da adoção de uma dieta muito pobre nessas substâncias. Até que o crescimento dos casos de câncer de intestino nas últimas décadas mobilizou as autoridades de saúde dos Estados Unidos para a adoção de campanhas no sentido de estimular o consumo de alimentos ricos em fibras.

Hoje não há mais dúvidas de que a proteção contra o câncer de cólon está diretamente ligada às fibras e também à qualidade da flora intestinal. Numa alimentação pobre em fibras, a colonização das bactérias benéficas é prejudicada e a tendência é o aumento das bactérias putrefativas, que se multiplicam com muita rapidez e expõem a mucosa do cólon às suas toxinas. Há também outro aspecto: a fermentação das fibras por algumas bactérias benéficas produz o ácido butírico, uma importante fonte de energia para as células do intestino grosso e que mantêm a integridade de suas paredes.

A nutrição e a imunidade estão sempre muito relacionadas, principalmente através do que acontece no sistema gastrintestinal. Afinal, são as fibras que fornecem os substratos para a recolonização das bactérias benéficas que vivem no intestino, que entre outras funções controlam o sistema imunológico. Quando se tem lactobacilos e outros microorganismos benéficos, a ingestão de fibras e outros nutrientes adequados vai fazer com que eles se multipliquem, garantindo a imunidade.

É claro que tomar lactobacilos é muito saudável e há vários trabalhos científicos mostrando que a administração regular desses microorganismos ajuda o sistema imunológico a funcionar melhor, principalmente em crianças. Mas com certeza também é possível aumentar a imunidade através de uma nutrição rica em fibras, que vão garantir o equilíbrio da flora intestinal.

As fibras têm ainda uma função importante como quelantes de minerais tóxicos, não permitindo que esses agentes nocivos sejam absorvidos. Infelizmente temos contato com alguns metais perigosos como chumbo e mercúrio através da alimentação, mas o risco se torna bem menor com o consumo de fibras, que têm a capacidade de englobar esses minerais e levá-los para a eliminação através das fezes. Por isso as fibras são grandes desintoxicantes também.

Entretanto, é preciso lembrar que comer fibras demais pode ser uma faca de dois gumes. Em excesso, essas substâncias impedem a absorção do zinco, que como sabemos é um mineral essencial para garantir o bem-estar e a imunidade, além de beneficiar a pele, pois está ligado ao hormônio de crescimento e ao equilíbrio hormonal do organismo. É justamente por isso que pessoas que adotam a alimentação vegetariana costumam apresentar problemas de imunidade.

Tenho uma paciente chamada Anete, muito radical no que diz respeito à alimentação. Ela não come nenhum tipo de carne ou ovos, apenas grãos integrais e vegetais. Da última vez que a vi, pude perceber nela a falta de zinco pelas manchas brancas que tinha nas unhas, o sinal mais claro da ausência do mineral no organismo. Recomendei-lhe então que passasse a comer peixe algumas vezes por semana.

Anete ficou muito surpresa, pois não sabia o que significavam as manchas em suas unhas. Contou-me então que realmente estava percebendo alterações na sua imunidade, pois andava se resfriando com muita freqüência nos últimos meses. Ela decidiu então abrir mão do seu radicalismo e incluir o peixe na sua dieta. As manchas desapareceram e sua imunidade melhorou bastante.

O que aconteceu com Anete é muito comum acontecer em pessoas vegetarianas e é de fato um problema conseguir esse equilíbrio na imunidade quando se come muitas fibras e nenhum tipo de carne. Por outro lado, as pessoas que consomem farinha de trigo comum e açúcar branco igualmente correm risco. Isto porque os alimentos refinados contêm cádmio, um mineral antagonista do zinco.

Por isso estão fazendo tanto sucesso os concentrados de frutas e vegetais em forma de jujubas, que já são vendidos no Brasil. Principalmente para crianças e adolescentes que comem poucos alimentos naturais, esses concentrados pelo menos garantem boa quantidade de antioxidantes, entre eles o zinco.

Escolhas saudáveis

Em relação ao consumo das fibras, o ideal é de 20 a 30 gramas por dia, o que equivale a uma porção de frutas e legumes. Não é muito, convenhamos, mas ainda assim é comum encontrarmos pessoas que passam dias e dias sem comer sequer um alimento de origem vegetal!

As frutas, tão fáceis de consumir, são alimentos valiosíssimos. A presença de fibras nas frutas, inclusive, faz delas a melhor forma de usufruir o sabor doce. O açúcar refinado, por ser rapidamente absorvido, libera muita insulina no sangue para metabolizar a glicose, o que não é bom. Já o açúcar da fruta, aliado às fibras, faz com que a absorção da glicose se dê mais lentamente.

Há quem acredite que comer fibras é comer farelo de trigo, mas não é bem assim. Quem quer consumir bem essas importantes substâncias precisa adotar uma alimentação variada, com frutas, legumes, verduras e grãos integrais. É interessante perceber que o beneficiamento do arroz e do trigo, no qual são retiradas as suas cascas, não é um beneficiamento em absoluto. Muito pelo contrário.

No refino desses grãos são descartados, além das fibras, vitaminas e minerais importantes. É por isso que temos agora nos supermercados o grande contra-senso das massas e biscoitos "vitaminados". As vitaminas são retiradas da matéria-prima dos alimentos e depois acrescentadas novamente, de forma artificial e a um custo alto para o consumidor.

Muita gente se surpreende quando experimenta um alimento integral, pois percebe que o gosto é muito semelhante ao do alimento beneficiado. O macarrão é um exemplo. Uma vantagem adicional é que o alimento integral provoca a saciedade mais rapidamente, porque é rico em fibras. Assim come-se menos, o que é ótimo para quem quer perder peso!

Ainda que o bolo ou o pão feitos com farinha integral não fiquem tão bonitos quanto aqueles feitos com a farinha refinada, a vantagem alimentar deles é muito grande. O mesmo pode ser dito do arroz. Sem a casca, ele obviamente fica muito mais fácil de cozinhar, mas essa demora compensa muito em termos nutricionais.

Antigamente acreditava-se que as fibras, justamente por propiciarem o trânsito intestinal, podiam prejudicar intestinos mais sensíveis, o que não é verdade. Hoje se reconhece que até mesmo nas diarréias as fibras são importantes, porque absorvem água e dão mais consistência às fezes.

O intestino fora de controle

Nada mais desagradável do que as diarréias, mas elas são inevitáveis quando o organismo se vê obrigado a defender-se do que percebe como um envenenamento. Mas, para entendermos como funciona esse mecanismo de defesa, precisamos retomar o caminho que os alimentos percorrem no organismo.

Depois de passar pelas três partes do intestino delgado, o bolo alimentar, ou melhor, o que sobrou dele, chega finalmente ao intestino grosso, também chamado cólon, que circunda todo o intestino delgado e é dividido em três partes — cólon ascendente, cólon transverso e cólon descendente. É nesta região que todo o material não absorvido vai ser processado e transformado nas fezes, para eliminação pelo reto.

O intestino grosso cumpre ainda a importantíssima função de reabsorver para o organismo grande parte da água que foi utilizada nos processos anteriores. A água, aliás, é um componente importantíssimo para a função gastrintestinal. Produzimos por dia cerca de um litro de saliva, um litro e meio de secreção gástrica, um litro de secreção pancreática, um litro de bile e ainda dois litros em média de secreções próprias do intestino. Isso corresponde a algo em torno de sete litros de líquidos, além da água que bebemos e daquela que está contida nos alimentos.

A maior parte da água envolvida na função gastrintestinal é absorvida pelo intestino delgado, mas chega ainda ao cólon cerca de um litro e meio de líquido. Portanto, apesar de praticamente não absorver alimentos, o cólon precisa reabsorver muito bem esta água, sob o risco de permitir a instalação de uma diarréia. É claro que esta responsabilidade não é só do intestino, pois as alterações intestinais estão muito associadas com o tipo de dieta que adotamos.

Existem várias formas de diarréia, que a rigor é o excesso de produção de fezes. A principal delas é a osmótica, que é aquela que acontece quando se tem intolerância ao leite de vaca por falta de lactase. A lactose do leite acumulada no intestino se transforma em ácido lático, que é irritante. É preciso desconcentrar o conteúdo, mas não há como. A única saída é recrutar água de fora do intestino para provocar a diluição, e é o que a mucosa intestinal faz. Mas o final do esforço é mesmo a eliminação do material, junto com a água. Por isso a diarréia é tão perigosa, pois desidrata o organismo.

Pessoas que tomam muito antiácidos que contêm magnésio, ou o próprio magnésio, também estão sujeitas à diarréia osmótica porque este mineral, além de irritar a parede do estômago, é absorvido muito lentamente pelo intestino. Por isso, indico para quem tem déficit de magnésio pastilhas do mineral para serem colocadas debaixo da língua, evitando assim o risco da diarréia osmótica.

Outro tipo de diarréia é a secretora, típica da doença de Crohn e das colites. Essas doenças causam inflamações no intestino, cujas secreções provocam a diarréia. Distúrbios de motilidade causados por excesso de VIP, um dos hormônios do eixo cérebro-intestinal, ou de motilina, também causam diarréias, mas é muito comum que elas sejam causadas por alimentos contaminados por bactérias. Algumas bactérias patogênicas estão sempre prontas a causar uma diarréia e uma das mais perigosas é certamente a vibrocólera, a bactéria da cólera, responsável pela "diarréia de água de arroz", cujo nome dá a exata proporção de sua consistência. A cólera, como se sabe, é uma doença que mata pela desidratação.

Uma forma de diarréia bastante conhecida é a famosa "diarréia dos viajantes", que acontece quando entramos em contato através da alimentação com bactérias que nos são estranhas. Das "diarréias dos viajantes", certamente a mais famosa é aquela também conhecida como "maldição de Montezuma", que acomete os que experimentam a exótica culinária mexicana.

Tabela 6
Infecções intestinais causadas por bactérias presentes nos alimentos

Bactéria	*Forma de infecção*	*Quadro clínico*
Stafilococus	Alimentos mal refrigerados	Náusea e vômito
Shigela	Alimentos contaminados	Diarréia com sangue
Campylobacter jejuni	Carne de galinha crua	Diarréia com sangue
Vibrio colera	Água contaminada	Náusea e vômito
E. coli patogênico (diarréia dos viajantes)	Água contaminada	Diarréia severa
Salmonela	Ovos e carne de galinha mal cozidos	Febre e diarréia

Por fim, existe a diarréia causada pelos medicamentos como antibióticos, que destroem a flora intestinal. Embora muitas dessas diarréias não possam ser evitadas, é claro que as fibras sempre ajudarão o organismo a enfrentá-las, ajudando, inclusive, a recompor a flora intestinal. Por isso é bom consumir sempre uma boa quantidade delas e variar o consumo diário de alimentos de origem vegetal, conseguindo assim uma quantidade adequada tanto das fibras solúveis quanto das fibras insolúveis.

Lidando com a prisão de ventre

Muitas pessoas gostam de quantificar a sua saúde e por isso querem saber quantas vezes um intestino saudável deve funcionar por dia. É possível que no passado houvesse uma resposta bem objetiva para esta pergunta, mas, hoje, é bastante difícil respondê-la.

Se pensarmos que cada ingestão de alimento corresponde a um estímulo, o correto seria que evacuássemos sempre depois de uma grande refeição, o que absolutamente não acontece. É possível até que o homem ancestral funcionasse dessa maneira, mas isso nunca saberemos. Hoje, o que se pode dizer é que o funcionamento do intestino é um indicador muito individual, assim como o estilo de alimentação.

Não há como dizer se o melhor é fazer apenas três grandes refeições ou comer várias vezes ao longo do dia. Cada pessoa tem a sua programação biológica com os níveis de glicose e insulina adequados e isso determinará os horários da necessidade do alimento. É uma questão individual, associada aos hábitos familiares e ao metabolismo de cada um.

Na evacuação, acontece o mesmo. Há pessoas que evacuam uma vez ao dia e sentem-se ótimas. Outras, vão ao banheiro três vezes por dia e também vivem em paz com seus intestinos. Entretanto, apesar de toda a diversidade de reflexos que as questões individuais, sociais e metabólicas possam causar no trato intestinal, é preciso lembrar que a evacuação envolve aspectos importantíssimos do metabolismo humano, que não podem ser negligenciados.

A prisão de ventre, por exemplo, não pode ser confundida com uma característica individual. Trata-se de um sintoma muito sério porque é a retenção pelo organismo de um material rico em substâncias tóxicas, inclusive metais, com as quais tivemos contato através da alimentação. As fezes, portanto, devem ser eliminadas pelo corpo num tempo menor possível.

Não podemos esquecer que o intestino é essencialmente um órgão de absorção e quando ficam retidas nele substâncias que não prestam, essas substâncias podem ser absorvidas e enviadas para a corrente sangüínea. Assim, as toxinas que deveriam ser eliminadas ficam circulando no organismo, provocando os mais diferentes distúrbios. Uma dessas alterações é a comportamental, e por isso dizem que quem tem mau humor é enfezado, ou seja, "cheio de fezes".

A prisão de ventre não é um estado natural e temos várias evidências disso. Uma delas é o reflexo gastrocólico, que atua quando o alimento cai no estômago, induzindo a um movimento que empurra para baixo o alimento que ali estava. Faz todo sentido, porque se um espaço vai ser preenchido, é natural que seja esvaziado antes. Este reflexo pode ser mais bem observado nos bebês. Eles mamam e em pouco tempo as fraldas estão sujas. É o reflexo gastrocólico funcionando em sua forma mais genuína.

Atualmente, no mundo industrializado, esse reflexo certamente está cada vez menos ativo nos adultos. Ainda existem muitos felizardos que evacuam duas, três vezes por dia, e isso é muito bom. Mas não é a regra. O que se percebe é que a prisão de ventre está se tornando um sintoma muito comum, principalmente nas mulheres. E pelo menos uma vez por dia é importante que o intestino diga a que veio.

Um outro aspecto gravíssimo da prisão de ventre é que as fezes retidas podem recobrir as vilosidades da mucosa intestinal, impedindo a correta absorção. Além da intoxicação, a absorção dos nutrientes dos alimentos deixa de ser feita adequadamente. Sem falar nos gases, que certamente virão.

A tendência aos problemas articulares também se acentua com a prisão de ventre porque algumas toxinas se depositam nas articulações. Num caso de artrite, a primeira suspeita recai sempre sobre o intestino e é preciso então verificar não apenas a ocorrência de uma alergia alimentar, mas também a questão do retorno das toxinas. É muito comum que a artrite esteja associada à prisão de ventre.

O intestino e seu correto funcionamento também estão ficando vulneráveis ao ritmo de vida das pessoas, cada vez mais intenso. Não é incomum que alguém se veja obrigado a mudar seus horários de evacuação diante de uma alteração drástica na sua rotina, como um novo emprego ou uma mudança no horário de trabalho. Essa adaptação do corpo pode se dar de forma tranqüila, ou não.

A falta de tempo é outra causa comum de prisão de ventre atualmente. Em alguns casos, chega-se ao absurdo de "prender" a evacuação, adiando-a para um momento mais propício. É evidente que contrariar o corpo dessa maneira é muito ruim e pessoas que fazem isso constantemente correm o risco de perder o mecanismo muscular inato da evacuação. O mesmo acontece com a urina e não é difícil imaginar o que isso pode provocar nos rins.

Fatores emocionais também estão envolvidos. Conheci há poucos anos o caso de um menino de cinco anos que nunca havia tido problemas intestinais até que sua mãe deu à luz um novo bebê. O menino, filho único até então, reagiu muito bem à chegada do irmãozinho, recebendo-o com muito carinho. Continuou alegremente a sua rotina, a não ser por um detalhe: ele não conseguia mais evacuar. Passaram-se dez dias e nada acontecia e a solução só veio com algumas doses de laxante.

Há ainda uma questão básica na prisão de ventre, que é a ingestão de água. Pode parecer incrível, mas muitas pessoas têm prisão de ventre simplesmente por não beberem água durante o dia, o que resseca as fezes e torna a evacuação difícil. Uma conseqüência comum nesses casos é o surgimento das dolorosas hemorróidas.

A diverticulite também é uma conseqüência séria da prisão de ventre e, além das dores, pode causar a morte. Em alguns casos críticos, os divertículos formados na parede do cólon se rompem e levam a inflamação para outras partes do corpo, o que representa um risco muito sério.

Por fim, é preciso lembrar que o aspecto das fezes também é muito importante, e há quem se confunda. Se é possível definir o que seria a evacuação ideal, sua apresentação deve ter forma, volume, brilho e alguma consistência. E ao ser liberada, deve proporcionar uma sensação de bem-estar, de limpeza no organismo.

Para que isso aconteça, a receita é bem simples: comer fibras em quantidade suficiente, beber água e deixar de lado os alimentos que nada acrescentam de bom. E, é claro, respeitar o ritmo do próprio corpo.

Alimentação e gorduras

Por força da imposição social que sofremos pela magreza, muitas pessoas acreditam que as gorduras devem ser evitadas a qualquer custo. No entanto, isso não é verdade. Assim como os carboidratos, as gorduras são importantíssimas para prover o organismo de energia, mas têm ainda funções cruciais no organismo. O ômega 3, por exemplo, é uma gordura importantíssma para a saúde. O DHA, um dos ácidos graxos que o compõe, tem uma atuação muito importante para o cérebro. É encontrado no peixe e também no leite materno, que justamente por causa desta gordura é fundamental para a formação da inteligência infantil.

Um outro aspecto que não pode ser esquecido é que algumas vitaminas, como as vitaminas A, E, D e K, são lipossolúveis. As vitaminas A e E, principalmente, são absorvidas pela mucosa intestinal junto com os lipídios. Sem gorduras na alimentação, a absorção dessas vitaminas fundamentais é prejudicada.

Sob o ponto de vista da digestão, há três gorduras principais: os fosfolipídios, os triglicerídios, também chamados de gorduras neutras, e o colesterol, presente nos alimentos de origem animal. Os triglicerídios são as gorduras mais importantes, as que vão ser realmente absorvidas pelo intestino.

Gorduras são substâncias de difícil classificação e por isso há dois aspectos básicos que as caracterizam. A primeira é a solubilidade: são solúveis apenas em álcool, acetona, éter e outros poucos compostos. A outra característica de uma gordura é possuir uma molécula chamada ácido graxo, de alto peso molecular, ou ter o poder de se combinar com ela.

Durante todo o processo de digestão, as gorduras vão liberando seus ácidos graxos, que após serem absorvidos vão cair na corrente sangüínea. Depois, estes ácidos serão novamente combinados para formar novas gorduras que serão utilizadas de diversas maneiras pelo organismo.

Outra importância das gorduras é que elas dão origem às prostaglandinas, que são substâncias que ajudam na imunidade do organismo. O corpo produz três tipos diferentes de prostaglandinas, e elas atuam de forma semelhante aos hormônios, difereciando-se deles pelo fato de agirem em locais próximos ao seu lugar de formação. Os hormônios, ao contrário, "viajam" pelo corpo, atuando geralmente em locais distantes de onde são formados.

Verdades e mentiras sobre o colesterol

Há muito tempo convivemos com uma verdadeira paranóia em relação ao colesterol. Fala-se tanto e tão mal dessa gordura que muitas pessoas ignoram que a saúde do organismo depende muito dela. De fato, as placas de ateroma que obstruem as artérias e causam a arterioesclerose são formadas em grande parte por colesterol, mas essa substância também é a precursora de hormônios e protege a parede das células. Ninguém vive sem colesterol.

Atualmente, às pessoas que apresentam índices de colesterol pouco acima de 200, já são recomendados medicamentos para inibir a síntese dessa substância, o que considero um grande absurdo. É muito perigoso cortar a formação do colesterol, que é sintetizado em todo o organismo, embora o fígado seja o local que concentra a sua produção. Até a parede arterial, onde é formado o ateroma, tem capacidade de sintetizar esta gordura.

Quanto às dietas restritivas para baixar o colesterol, também há considerações a fazer. Antes de tudo é preciso lembrar que o colesterol que ingerimos através dos alimentos de origem animal não são os maiores responsáveis pelo aumento da taxa dessa gordura no sangue. O colesterol dos alimentos é muito pouco absorvido e, desde que o intestino esteja em boas condições, a maior parte dele é expelido com as fezes.

As placas de ateroma são formadas principalmente pelo colesterol endógeno, aquele que nós mesmos sintetizamos no organismo e que envolve um mecanismo de *feedback*, para garantir o equilíbrio dessa substância. Quando o organismo começa a receber muito colesterol pela alimentação, diminui a síntese desta gordura.

O que contribui de fato para aumentar os níveis de colesterol são os ácidos graxos saturados, que são as gorduras sólidas à temperatura ambiente, como as da carne vermelha. São essas gorduras saturadas que vão aumentar a formação de radicais livres que oxidam o colesterol LDL, como vimos quando conhecemos o poder do óxido nítrico em inibir esta oxidação.

Por conta de tudo isso, algumas restrições alimentares não fazem sentido para quem quer diminuir o colesterol. Desde que a permeabilidade do intestino esteja perfeita, muitos alimentos normalmente condenados podem ser consumidos.

O ovo, por exemplo. Desde que seja do tipo caipira, colocado por galinhas de terreiro, que ciscam no chão, não há problema algum em consumi-lo de forma saudável, sem frituras. Além de colesterol, o ovo possui substâncias como a lecitina e a colina que atuam no metabolismo dessa substância. Assim, pode ser saboreado tranqüilamente por aqueles que têm taxas pouco elevadas da gordura.

O mesmo sobre o salmão. Muita gente não come este peixe porque já está difundido que ele é rico em colesterol. Mas hoje se sabe que o salmão, assim como o bacalhau, possui também muitos ácidos graxos poliinsaturados, que atuam beneficamente em nível cerebral. Portanto, se a permeabilidade do intestino está boa, não há por que deixar de consumir estes peixes, que fazem um bem enorme, porque são ricos em DHA, aquela gordura essencial para o bom funcionamento cerebral, que compõe o ômega 3. Há trabalhos recentes mostrando que o DHA também é muito importante para o intestino, beneficiando a sua mucosa.

Outro exemplo é a manteiga. Há alguns anos esse alimento passou a ser execrado pelos defensores da boa saúde, sob a alegação de que era um agente importante para o aumento do colesterol. Com isso, sob os auspícios da Food and Drugs Administration (FDA), popularizou-se no mundo ocidental o uso da margarina, que hoje se sabe ser muito mais prejudicial à saúde do que a velha manteiga.

De fato, a manteiga tem um pouco de colesterol, mas além do fato de essa substância ser pouco absorvida, a manteiga protege a parede do cólon por formar o ácido butírico. Enquanto isso, os ácidos graxos-trans, nos quais as margarinas são riquíssimas, são substâncias altamente tóxicas. Por esse motivo a própria FDA lançou mais tarde uma margarina sem essas substâncias artificiais, a *smart margarine,* que só recentemente chegou ao Brasil.

Mas o problema mais sério em relação ao colesterol é a freqüência com que os medicamentos inibidores dessas substâncias têm sido usados. Em vez de investir em uma dieta mais saudável, muitas pessoas começam a tomar inibidores da síntese de colesterol, algumas vezes com níveis desta gordura no sangue pouco acima de 200 mg, o que é apenas uma leve alteração.

Já é sabido que esses inibidores podem provocar lesões hepáticas e apenas esse fato já deveria impor maiores critérios na sua prescrição. Mas recentemente foi constatado que eles podem também destruir o tecido muscular, causando inclusive a morte. Em agosto de 2001, um desses remédios foi proibido nos Estados Unidos. Conforme noticiado nos jornais, do Brasil inclusive, o próprio laboratório decidiu retirar seu medicamento das farmácias, frente às mortes que estavam ocorrendo.

Não foi a primeira vez que isso ocorreu. Poucos anos depois que me formei em medicina, por volta de 1956, uma indústria farmacêutica lançou no mercado o triparanol, inibidor da síntese de colesterol, de mecanismo semelhante às estatinas utilizadas atualmente. Lembro que o medicamento foi saudado por alguns médicos e professores como "a maior descoberta da medicina depois da penicilina". Passou-se pouco mais de um ano e começaram a surgir casos de cegueira, impotência e até morte, acabando com a curta carreira do medicamento.

É pena que fatos como esse sejam rapidamente esquecidos, e a verdade é que não estão sendo usados muitos critérios para a utilização dos inibidores da síntese de colesterol. É claro que níveis de 300 mg requerem providências mais imediatas, mas na grande maioria dos casos é possível reverter o quadro adotando outras medidas.

Está acontecendo com os remédios para baixar o colesterol o mesmo que se verifica com as drogas para emagrecimento. Todos sabem que elas não fazem bem, entretanto acaba sendo mais cômodo tomá-las do que modificar os hábitos de vida. Se esses remédios fossem usados por períodos curtos, não haveria tantos problemas. Mas as pessoas gostam do resultado e acabam prolongando o uso. Então surgem os efeitos colaterais.

Adotar uma alimentação mais natural e evitar a formação excessiva de radicais livres é uma forma bem mais fácil e inteligente de controlar o aumento do colesterol no sangue. Como um reforço, vários antioxidantes podem ajudar a evitar a oxidação do LDL e a maioria deles faz parte de um grupo de substâncias chamadas flavonóides.

Descobertos em 1936, os flavonóides são fitoterápicos também considerados como vitaminas. Esta, inclusive, foi a primeira classificação que essas substâncias receberam por seu descobridor, o bioquímico húngaro Szent-Gyorgyi.

As maiores fontes de flavonóides são as mesmas fontes da vitamina C: frutas, verduras e legumes. Há flavonóides de extrema importância, como a quercetina utilizada atualmente no combate ao câncer, e outros especialmente úteis para quem tem problemas com colesterol. São as catequinas do chá verde também muito indicadas para combater o câncer, e as proantocianidinas, mais antioxidantes que a própria vitamina C ou E, presentes na semente de uva e no picnogenol, que é um extrato da casca do carvalho.

Na Ilha de Creta, no Mediterrâneo, as pessoas são longevas e apresentam uma incidência baixíssima de doenças coronarianas e isso acontece por causa do alto consumo das proantocianidinas do vinho tinto, muito consumido neste local. Outra alimento importante para combater o colesterol é o azeite de oliva extravirgem, rico em tocotrienol. Trata-se de um derivado da vitamina E, extremamente antioxidante.

Alguns perigos modernos

Desde que a manteiga deu lugar à margarina, passamos a conviver com os perigosos ácidos graxos-trans. Essas substâncias, extremamente tóxicas, se formam quando a gordura vegetal, que é líquida, é hidrogenada para que adquira a forma sólida. Mas o que a princípio parecia uma grande vantagem, já que substituindo a manteiga por margarina as pessoas consumiriam menos gordura animal, acabou se revelando uma ameaça. O acúmulo de ácidos graxos-trans é responsável por uma série de problemas intestinais e ainda contribui para o aumento do colesterol.

O consumo de ácidos graxos-trans pode ameaçar até mesmo a imunidade, porque eles interferem na ação das prostaglandinas, aquelas substâncias que ajudam na imunidade, semelhantes aos hormônios, mas de ação local. Em animais, já foi comprovado que os ácidos graxos-trans aumentam a incidência de câncer intestinal.

Com a advento das *smart margarines,* imaginou-se que estaríamos livres dos ácidos graxos-trans, mas não foi assim que aconteceu. Segundo um detalhado estudo norte-americano realizado há poucos anos, os ácidos graxos-trans também estão presentes em hambúrgueres, batatas fritas, galinhas fritas, salgadinhos e toda sorte de *junk-food* fartamente consumidos nos Estados Unidos, e também por nós.

Quanto ao poder de elevar as taxas de colesterol no sangue, descobriu-se que os ácidos graxos-trans são muito eficazes nesta tarefa porque eles bloqueiam a ação de substâncias com ação vasodilatadora e de controle sobre a pressão arterial. Como se vê, alimentos a princípio livres de gordura animal, como a margarina ou os abomináveis biscoitos salgadinhos, além de prejudicar a imunidade, podem até aumentar a síntese de colesterol no organismo, por serem ricos em ácidos graxos-trans.

Um outro risco moderno da alimentação diz respeito ao glutamato e ao aspartato, dois aminoácidos muito utilizados na alimentação moderna. O primeiro como um delicioso tempero da culinária chinesa e o segundo como adoçante. Em excesso, essas substâncias podem ser muito perigosas, pois ambas são capazes de interferir no mecanismo de formação da memória.

O ácido glutâmico transforma-se em glutamato dentro do cérebro e lá se fixa nos receptores cerebrais de NMDA, presentes no hipocampo, região cerebral onde se dá a formação de memória. Ele desencadeia a formação do óxido nítrico que, como sabemos, é essencial para a formação da memória. A questão é que, quando ingerido através dos alimentos, o glutamato pode romper a barreira hematoencefálica e se fixar em excesso no cérebro, causando problemas.

Casos assim têm se tornado tão freqüentes, que já existe até uma doença para nomeá-los, chamada síndrome do restaurante chinês, que na verdade é uma intolerância alimentar. Muitas pessoas passam mal depois de uma refeição oriental, com pressões fortes no peito. Em alguns casos, os sintomas são confundidos com um evento cardíaco.

Certamente por causa de outros alimentos que compõem sua dieta, os chineses não apresentam esse problema com o glutamato. O aspartato, que tem uma estrutura química muito semelhante à do glutamato, também pode romper a barreira hematoencefálica e alterar a função cerebral.

É por isso que já começam a surgir alertas quanto ao uso exagerado de aspartame como adoçante e já há muitas pesquisas científicas que contestam a sua proclamada inocuidade. O difícil mesmo será proibir a utilização do aspartame, já que a substância hoje é usada como adoçante das versões *light* de alguns refrigerantes, entre eles a mais famosa bebida do mundo.

Reações inesperadas

Aminas são substâncias derivadas de aminoácidos que podem provocar reações alérgicas quando ingeridas por pessoas sensíveis. Trata-se na verdade de uma intolerância alimentar. É por causa disso que muitas pessoas apresentam enxaqueca quando ingerem chocolates, queijos roquefort e os suíços, vinhos tintos, sucos de tomate e outros alimentos ricos em tiramina.

Certa vez, almoçando com um grupo de amigos, um deles começou a sentir-se um pouco tonto quando nos levantamos da mesa. Despediu-se de nós e foi para casa. Mais tarde, telefonei-lhe e ele me contou que havia piorado. Sentia forte coceira nas palmas das mãos e cólicas. Como era médico, meu amigo viu logo que seu problema poderia ter origem em algo que havia comido, mas não imaginava o que poderia ter-lhe feito mal. Até que lembramos do vinho tinto que ele havia bebido durante o almoço.

Felizmente os sintomas logo passaram, mas não tivemos dúvidas de que eles eram conseqüência de uma intolerância ao vinho tinto, que até aquela ocasião meu amigo não imaginava que tivesse. Infelizmente é difícil saber quais vinhos, queijos ou outros alimentos possuem aminas.

Peixes também podem ser perigosos quando descongelados de forma incorreta. Isso porque nas guelras se depositam microorganismos que decompõem o peixe transformando a histidina presente em sua carne em histamina. Por isso é possível ter intolerância à carne do peixe.

Certa vez, a FDA resolveu dosar a quantidade de histamina em alguns alimentos e encontrou em uma lata de atum 280 mg de histamina por 100 g do peixe. Tratava-se de um número absurdo, pois o tolerável é 5 mg por 100 g de peixe, e, acima de 50 mg, a carne é considerada tóxica.

A feniletilamina, presente no chocolate, também é uma amina que pode causar intolerância alimentar e acredita-se que esta seja a substância que faz com que as pessoas se tornem viciadas no alimento, já que a feniletilamina também está envolvida nas sensações de prazer, como o orgasmo. A substância, presente também na cerveja, na salsicha e outros alimentos, provoca ainda hiperatividade em crianças. Algumas pesquisas demonstraram que as muito irrequietas tendem a melhorar quando deixam de comer chocolate.

De todas as aminas, a histamina é a mais conhecida. Todo mundo toma anti-histamínicos diante de crises alérgicas. Em vários tipos de alergia, é a histamina liberada pelas células que vai provocar a coriza, a coceira, a vermelhidão da pele e outros incômodos. Quando a alergia afeta o intestino, é a liberação da histamina que vai diminuir a adesividade entre as células da mucosa, prejudicando a absorção.

Além de sua responsabilidade nos processos ligados ao sistema imunológico, sabe-se que a histamina também estimula a produção do ácido clorídrico pelo estômago e que é formada em grande quantidade no intestino. É na verdade uma substância importantíssima, pois quando o organismo a libera em seus mecanismos naturais está ao mesmo tempo aumentando a sua imunidade. O problema é que por estar presente na maioria das reações alérgicas, a histamina é capaz de causar intolerâncias quando presente nos alimentos.

Outra substância interessante sob o ponto de vista da intolerância alimentar é o salicilato. Muitas pessoas não podem tomar remédios que contêm o ácido acetilsalicílico (aspirina), que impede a coagulação, mas se esquecem que muitos alimentos são ricos em salicilatos. Principalmente os temperos como curry, páprica, tomilho e mostarda são muito ricos nessa substância.

Cuidado com as dietas

Uma alimentação saudável dever conter cerca de 55% de carboidratos, 25% de gordura e 15% de proteínas. É o que se recomenda, mas é claro que a receita não é universal. Os esquimós, por exemplo, só comem proteínas e gorduras e mesmo assim têm ótima saúde, além de uma boa silhueta, garantida pela alta formação de gordura marrom.

De fato, a alimentação humana é bastante complexa e não é por outra razão que a toda hora surge uma nova "dieta revolucionária" para perder peso, além das dietas restritivas em prol da boa saúde, que também nem sempre resultam em benefícios para o organismo, em minha opinião.

Há poucas décadas, fixou-se a idéia de que comer carne é ruim para a saúde. Acho que não é bem assim. É claro que a carne vermelha em excesso é ruim por causa do risco de excesso de formação de radicais livres, que, entre outras conseqüências, oxida o LDL. Mas não se pode negar o valor deste alimento. Além de ferro, a carne vermelha possui vitaminas do complexo B, especialmente a B_{12}, zinco e antioxidantes valiosos, como a taurina e a carnitina.

Portanto, acredito que a carne vermelha possa fazer parte da dieta, desde que não seja consumida em exagero e sempre acompanhada de verduras e legumes, que são alimentos antioxidantes. Os mórmons, por exemplo, consomem carne vermelha, mas comem também muitos legumes e verduras cultivados por eles, sem agrotóxicos. Não têm problemas de câncer nem pressão alta e vivem em forma.

A carne dos peixes também é muito importante para a saúde, principalmente os de água fria. Como sabemos, entre outros nutrientes valiosos, os peixes contêm ômega 3, que atua na formação das prostaglandinas, beneficia a memória e ajuda na formação de gordura marrom.

Há muitas restrições à carne dos animais por motivos religiosos, mas devemos lembrar que os monges tibetanos sempre comeram carne porque não tinham outra fonte de proteína. E se o problema é comer um ser vivo, as plantas também são seres vivos!

As pessoas se esquecem também de que os agrotóxicos representam um grande perigo. Para adotar uma alimentação vegetariana, é preciso ter cuidado com a procedência das verduras, legumes e frutas. É muito comum que pessoas vegetarianas apresentem intoxicação por agrotóxicos e alguns alimentos dificilmente podem ser encontrados livres dessas substâncias nocivas, como é o caso do tomate, do morango e do figo.

A busca pela magreza também é perigosa porque induz as pessoas a acreditarem que toda gordura faz mal. Não é bem assim, como vimos. Suprimir as gorduras da dieta é extremamente perigoso, pois precisamos muito delas. O que devemos fazer é aprender a reconhecer entre as gorduras aquelas que nos são saudáveis.

Do ponto de vista químico, as gorduras são formadas por ácidos graxos, moléculas grandes formadas por vários átomos de carbono. O tipo de ligação que une essas moléculas vai determinar o tipo de gordura. Quando não há dupla ligação entre as moléculas, temos a gordura saturada, que é sólida à temperatura ambiente. Gorduras animais em geral são saturadas.

Já as gorduras insaturadas são as líquidas, e há dois tipos delas: as monoinsaturadas e as poliinsaturadas. No grupo das monoinsaturadas estão as gorduras mais saudáveis, principalmente para quem está preocupado com os níveis de colesterol. Essas gorduras estão no azeite de oliva, especialmente o extravirgem, nas castanhas, nas nozes e nas sementes. O abacate também está na lista, apesar de tão temido por aqueles que não querem engordar.

Quanto às gorduras poliinsaturadas, elas estão presentes na gordura do peixe e nos óleos de milho, soja, algodão e amendoim. São gorduras saudáveis também, mas muito suscetíveis ao ataque dos radicais livres, por causa das duplas ligações. O ômega 3 e o ômega 6 são os dois tipos básicos de gorduras poliinsaturadas.

Portanto, emagrecer não pode ser apenas um simples corte de gorduras na dieta. As gorduras são fundamentais e estão presentes até nas verduras, nas frutas e cereais. Retirar aleatoriamente gorduras da alimentação pode trazer conseqüências sérias.

Outra grande ameaça ao organismo está nas ditas "dietas da moda", que prometem emagrecimento rápido. Há pouco tempo assistimos ao retorno de uma dieta de emagrecimento realmente bastante eficaz, a dieta do Dr. Atkins, com algumas modificações da primeira versão, lançada nos anos 80. Nem todos devem se lembrar, mas a dieta do Dr. Atkins chegou a ser proibida nos Estados Unidos naquela época, em função dos efeitos colaterais que provocou.

A restrição drástica de carboidratos continua a ser a base da dieta do Dr. Atkins. De fato, é impressionante como se perde peso adotando essa dieta que, aliás, derruba a crença de que para emagrecer é preciso ingerir poucas calorias. À base de proteínas e gorduras, a dieta do Dr. Atkins é essencialmente calórica. Mas não é difícil descobrir por que ela causou tantos problemas.

Em primeiro lugar, uma dieta desse tipo contradiz a recomendação bem fundamentada de que não se deve ingerir proteínas demais. O ideal é que se coma cerca de um grama de proteína por quilo de peso, o que equivale a 60, 70 g por dia. O norte-americano consome mais de 100 g diários, quase duas vezes o que uma pessoa precisa, e é claro que isto acabou refletindo na sua saúde. Um dos efeitos da ingestão excessiva de proteínas é que elas acabam sendo atacadas pelas bactérias, que formam com elas substâncias tóxicas dentro do intestino, como o amoníaco. A isso se chama putrefação intestinal.

O emagrecimento da dieta do Dr. Atkins baseia-se em outro mecanismo orgânico, o que acontece quando o corpo é privado de carboidratos. Sem essas substâncias, não há como formar ATP. Assim, o organismo começa a utilizar a gordura como fonte de energia. O tecido adiposo então começa a ser queimado, o que provoca a perda de peso.

No organismo privado de carboidratos, a insulina começa a queimar as proteínas. Mas essas proteínas são as mesmas que deveriam ser utilizadas para a formação dos músculos, da pele, dos ossos, dos tecidos nobres. Com isso, as pessoas começam a perder massa muscular quando adotam a dieta por um tempo prolongado. O outro grave problema da dieta do Dr. Atkins é que gordura em excesso na alimentação acaba provocando o aumento dos níveis de colesterol no sangue, abrindo caminho para doenças coronarianas.

Há também os riscos da não ingestão de carboidratos, que são substâncias importantíssimas para o organismo, principalmente os carboidratos complexos, como as fibras. Toda a nossa energia provém principalmente dos carboidratos, além da necessidade que o cérebro tem da glicose, que é fundamental para o seu metabolismo. A baixa da glicose pode reduzir a atividade cerebral, o que é grave.

Uma das conseqüências comuns da dieta do Dr. Atkins é a formação excessiva de substâncias tóxicas chamadas corpos cetônicos, normalmente encontrados na urina em quantidade muito pequena. O diabético descompensado forma muitos corpos cetônicos. Por não ter insulina para metabolizar o açúcar, acaba queimando as gorduras. O mesmo acontece com muitas pessoas que fazem a dieta do Dr. Atkins, e isso se percebe porque eles ficam com o hálito cheirando a acetona, como os diabéticos descompensados.

No passado, foram publicados alguns trabalhos afirmando que a dieta do Dr. Atkins aumentava muito a metabolização de gorduras através de um hormônio da hipófise, a adiposina, que seria liberada pelo organismo quando não há ingestão de carboidratos ou quando se está sob jejum, mas isso nunca ficou comprovado. O que se sabe é que as pessoas que adotam a dieta do Dr. Atkins realmente formam muitos corpos cetônicos, o que pode ser comprovado pesquisando a acetona na urina delas.

Em seu novo livro, o Dr. Atkins recomenda que seus seguidores façam intervalos da dieta em períodos regulares, quando os carboidratos são liberados. A recomendação tem como objetivo principal minimizar os perigosos efeitos colaterais do seu método de emagrecimento. Isso diminuiria, pelo menos, o risco da arteriosclerose.

Acontece que as pessoas, quando começam a perceber que estão emagrecendo, não querem parar de fazer a dieta, principalmente uma como a do Dr. Atkins, em que o custo da perda de peso é relativamente baixo, com churrascos e todo tipo de gorduras liberados. Por isso é tão perigoso começar a fazer dietas sem acompanhamento médico, motivado apenas pelo desejo de emagrecer e sem pensar nas conseqüências que isso pode trazer.

O mesmo cuidado que é preciso ter com as dietas é necessário também com os remédios para emagrecer. O último e melhor exemplo que temos para corroborar o conselho é o Xenical, que felizmente já está sendo deixado de lado.

Ainda assim, é bom conhecermos a ação desses medicamentos, para entender por que eles são tão perigosos.

O Xenical tem ação sobre a lipase, inibindo a sua ação. Se a enzima não funciona, a gordura não é absorvida. Portanto, não há ganho de peso. O problema é que há outras lipases importantes no organismo. Uma delas é a lipase lipoprotéica, que também é inibida pelo Xenical e cuja falta no organismo pode provocar arteriosclerose.

Este medicamento também diminui a absorção das vitaminas lipossolúveis (A, D, E e K), embora esse efeito seja pouco percebido pelos seus usuários. O que mais os incomoda é o fato de o Xenical provocar a diarréia osmótica, por aumentar muito a quantidade de gordura nas fezes. Além do risco de desidratação, é fácil imaginar o incômodo que esse efeito colateral representa para quem quer emagrecer.

Muitas pessoas abandonaram o Xenical em função das diarréias, mas há uma outra razão que fez com que o remédio acabasse sendo esquecido: o Xenical consegue inibir apenas 30% da absorção de gorduras e não apresenta resultados para quem já tem o hábito de comer pouca gordura. Em termos de perda de peso, adianta muito pouco.

Costumo dizer que se a carne é fraca, a memória é muito mais. Há cerca de 20 anos, apareceu no mercado um outro medicamento para perder peso, dessa vez inibindo a amilase. Quem tomava o tal remédio podia comer pães, massas e arroz à vontade. Não tardou muito, os adeptos da medicação começaram a sofrer de fortes e perigosas diarréias e por isso ela acabou sendo proibida.

Portanto, é preciso ter muito cuidado com medicações e dietas que prometem o emagrecimento rápido, porque não existem fórmulas mágicas para se conquistar a magreza tão valorizada nos dias atuais.

Os mistérios do ganho de peso

Para quem tem pressa em emagrecer, uma providência importante é cuidar da função intestinal. Como sabemos, o aumento da permeabilidade e as alergias alimentares podem provocar a engorda. Entretanto, outros fenômenos que acontecem no intestino também são capazes de acrescentar ao peso corporal alguns quilos indesejáveis.

No que se refere aos componentes bioquímicos da obesidade, acredito muito que estamos perto de encontrar uma solução definitiva através do estudo da gordura marrom e dos hormônios que favorecem o seu surgimento, com destaque para a leptina.

Felizmente o conhecimento dos mecanismos de formação da gordura marrom está aumentando. Recentemente, inclusive, foram inventados termômetros sofisticados para verificar no homem o nível de formação de termogenina, que forma a gordura marrom principalmente sobre a glândula supra-renal e debaixo do braço.

Estudos demonstraram também que é possível formar gordura marrom através da alimentação e do estilo de vida. Além do ômega 3, presente nos peixes de água fria, principalmente, sabe-se agora que os carotenóides, o alho, a cafeína e outros alimentos também podem aumentar a formação de gordura marrom. E a comprovação de que as baixas temperaturas ajudam a formar este tipo de gordura está animando aqueles que desejam se livrar do excesso de peso por métodos mais naturais.

Hoje, nos spas e centros mais modernos de emagrecimento, cintas plásticas e agasalhos estão completamente abolidos na prática de exercícios. O que se preconiza é que caminhadas e exercícios sejam feitos sob baixas temperaturas, para propiciar a formação da gordura marrom.

O problema é que a obesidade é uma questão muito complexa, como vimos quando abordamos a questão dos receptores. É possível, por exemplo, encontrar níveis altos de leptina em pessoas obesas. São justamente os casos em que o problema está nos receptores e não na quantidade do hormônio. Em algumas pessoas, até há um bom número de receptores, mas eles não funcionam corretamente, por alguma razão.

Por fim, o que se acredita hoje é que a leptina está no centro da questão da obesidade. Se de um lado temos a galanina e o neuropeptídio Y aumentando a ingestão dos alimentos, e do outro lado a colecistoquinina estimulando a saciedade, a leptina agiria bloqueando os primeiros e estimulando os demais, mantendo em equilíbrio esse delicado sistema.

Este é sem dúvida um grande tema da medicina moderna, e há muitas questões importantes aguardando o dia em que esses hormônios possam ser sintetizados e utilizados nas terapias de combate à obesidade. Por outro lado, é impossível não pensar no que acontecerá quando o homem dominar esse delicado sistema e puder interferir no mecanismo da fome e da saciedade.

Corremos o risco de ver novamente repetidos os muitos episódios que já aconteceram no passado, sempre com péssimas conseqüências, de medicamentos que interferiam seriamente no equilíbrio do organismo para conseguir o emagrecimento rápido, sem considerar o fator alimentação.

As mais modernas linhas de emagrecimento já admitem que o mais importante é a qualidade da alimentação e, dentro dessa perspectiva, até o número de calorias dos alimentos perde a importância. É muito mais simples emagrecer e continuar magro comendo alimentos saudáveis do que tomando remédios ou fazendo dietas que não consideram as necessidades do corpo.

Parte V

17

O Centro da Homeostase: A Hora de Separar o Joio do Trigo

Um recente trabalho publicado no *Medical Hipothesis*, uma das mais conceituadas publicações científicas do mundo, demonstra a correlação estatística encontrada na população norte-americana entre a deficiência de três minerais — cromo, magnésio e zinco — e quatro grandes problemas de saúde. Segundo a conclusão do estudo, a depressão — em primeiro lugar —, as alergias, as dores, principalmente as lombares, e os distúrbios gástricos acometem as pessoas que sofrem da carência desses três minerais.

O problema da pouca ingestão de cromo, magnésio e zinco através dos alimentos é fato, mas, como sabemos, a má absorção parece ser um problema ainda mais sério. Cada processo orgânico prejudicado pela falta de absorção de minerais é capaz de provocar uma série de problemas, que atuarão em cascata pelo organismo. Seja qual for o resultado disso, a instalação de um problema gastrintestinal garantirá a perenidade do problema. Principalmente porque apenas as suas conseqüências evidentes são tratadas. As causas, escondidas nos processos digestivos e absortivos, em geral continuam sem tratamento.

Infelizmente não existe muito refinamento nos diagnósticos de má absorção e até nos países mais desenvolvidos os gastrenterologistas não estão preparados para fazer esse refinamento. Se pesquisas mais específicas fossem feitas nos pacientes, acredito que os problemas digestivos apareceriam em primeiro lugar, e não no último, como na pesquisa publicada recentemente no *Medical Hipothesis*.

Há um ciclo vicioso de problemas decorrentes de má absorção em três níveis: a falta de minerais e vitaminas na parte mais alta do tubo digestivo, depois a má digestão dos amidos, aminoácidos e gorduras e, no terceiro nível, a disbiose com seus vermes oportunistas e o aumento da permeabilidade intestinal.

Além disso, a falta de minerais pode comprometer seriamente o sistema imunológico. Sem zinco não há como fabricar os linfócitos T, o que predispõe a infecções, viroses e alergias, e por isso as alergias aparecem na lista de doenças apontadas na pesquisa.

Percebemos, portanto, que o intestino tem um papel definitivo para a nossa saúde, pois é o lugar de separar o joio do trigo, onde se define o que vai ou não ser absorvido. É onde está o centro da homeostase do organismo, onde é definida a nutrição, a imunidade, o comportamento, enfim, o estilo de vida que cada um vai ter.

Em meu consultório, recebo freqüentemente pessoas que querem tomar antioxidantes para pressão alta, enxaquecas, ansiedade, excesso de peso. Muitas delas acreditam que os antioxidantes são fórmulas mágicas, que vão livrá-las instantaneamente de suas mazelas. O que elas não lembram é que nenhum antioxidante apresentará resultados satisfatórios quando o intestino não funciona bem.

Por isso insisto sempre nos cuidados com o sistema gastrintestinal e com a mudança dos hábitos alimentares, pois tudo está interligado. É respeitando o organismo e comendo bem que as pessoas mantêm a saúde da mucosa intestinal e a flora benéfica trabalhando eficientemente, melhoram a imunidade e facilitam a absorção das substâncias úteis, assim como a eliminação daquelas que podem fazer mal.

Para quem não está com o sistema gastrintestinal íntegro, tomar antioxidantes extras vai apenas sobrecarregar os sistemas de eliminação do organismo. Esses nutrientes representarão então uma sobrecarga para o fígado e um gasto extra de dinheiro. Na verdade, é tudo muito simples: para que os suplementos funcionem, precisamos ter integridade intestinal.

É preciso lembrar que existe um sinergismo muito grande nos alimentos naturais e por isso devemos resgatá-los para a nossa mesa. Os componentes dos alimentos naturais se complementam, um potencializa a absorção ou a ação benéfica do outro. Além dos nutrientes básicos, os alimentos naturais possuem o que chamamos hoje de nutracêuticos, que não são exatamente vitaminas, tampouco outras substâncias já classificadas.

Os nutracêuticos atuam sinergeticamente com os demais nutrientes dos alimentos, completando sua ação benéfica no organismo. São exemplos de nutracêuticos o sulfarofano e o indol presentes no brócolis, o licopeno do tomate e a genisteína da soja, que ainda protege a mulher do câncer de mama, e dezenas de outras substâncias. A maioria dos nutracêuticos é também excelente antioxidante!

Sem pressa

Outra questão importantíssima é a forma como nos alimentamos. Hoje em dia, as pessoas não costumam dar aos horários das refeições a devida importância. Por causa da agitação em que vivemos, acabamos comendo de qualquer jeito, apressadamente, muitas vezes em pé num balcão. As conseqüências disso são sempre ruins porque o ato da alimentação requer muita tranqüilidade.

Como sabemos, o processo de digestão e absorção dos alimentos é garantido por uma vigorosa secreção de neurotransmissores, enzimas e hormônios que interagem continuamente. Essa fantástica movimentação, embora não exija nenhum esforço intelectual de nossa parte, representa um investimento de energia considerável para o organismo, que recruta, inclusive, uma enorme quantidade de sangue para o local onde ela acontece.

Vem daí a sensação de sono que nos acomete após as grandes refeições. É o corpo pedindo-nos um tempo de repouso nas outras funções, para que possa executar satisfatoriamente a digestão e a absorção. O hábito da sesta, ainda cultivado em algumas regiões do Brasil, é portanto muito correto, e fazem bem aqueles que procuram repousar um pouco após as refeições, preservando o organismo para que toda a energia se concentre na função gastrintestinal.

Há cerca de dois anos recebi em meu consultório um paciente ainda jovem, que chamarei de Alfredo. Tinha pouco mais de 40 anos e poderia até ser considerado um felizardo: trabalhava perto de casa e podia almoçar com a família todos os dias. Mas queixava-se de fortes dores abdominais, que nenhum medicamento resolvia.

Conversamos muito sobre seus hábitos alimentares e então foi possível perceber a causa de suas dores. Alfredo chegava em casa para almoçar sempre meia hora antes do horário em que teria que levar seus filhos à escola, antes de voltar ao escritório. Mas o curto tempo que tinha para almoçar era dos mais tumultuados.

As crianças — eram três! — estavam sempre atrasadas e sua esposa passava todo o almoço apressando-as. A televisão, sempre ligada, aumentava ainda mais a confusão do ambiente. Depois, todos recolhiam seus materiais de escola e entravam no carro. Alberto ficava tenso no trânsito, com medo de perder o horário de entrada das crianças na escola. Ele chegava exausto no trabalho e cerca de uma hora depois começavam as dores.

Era claro que tudo estava ligado à não obediência aos mandamentos básicos da boa digestão. Sugeri-lhe então uma mudança radical na sua rotina, para que observássemos as reações do seu organismo. Alfredo deixou para sua esposa a função de levar os filhos na escola e passou a almoçar num pequeno restaurante próximo ao seu escritório. Ganhou mais tempo e um ambiente muito mais calmo para fazer suas refeições. Em pouco tempo, as dores desapareceram, como era de se esperar.

Um *check-up* simples e fácil

Cada intestino tem seu modo peculiar de avisar que algo não está indo muito bem. São cólicas, gases ou alterações intestinais como a prisão de ventre ou a diarréia. Mas sabemos que a complexidade deste órgão inteligente é muito grande e há casos em que os sinais não são muito claros, ou não suficientemente rápidos, a ponto de permitir providências para conter problemas maiores.

É o caso do aumento da permeabilidade intestinal. Muita gente pode conviver durante anos com esse distúrbio, sem saber. Com o passar do tempo e sem cuidados com a alimentação, um problema mais evidente de saúde certamente surgirá. E nem sempre será possível perceber que tudo começou por causa de uma deficiência na capacidade de absorção do intestino.

Hoje, quando a ciência está muito interessada em tudo que se refere ao sistema gastrintestinal, alguns exames vêm ganhando importância, como é o caso do exame completo de fezes. Cada vez mais este exame deixa de ser apenas um sinalizador da presença de parasitas para se mostrar um instrumento eficiente de análise das condições de digestão e absorção.

Resíduos alimentares nas fezes, por exemplo, são um sinal de que o estômago não está funcionando bem. Em alguns casos, os pedaços de alimentos podem ser observados até a olho nu. Já a presença de amidos mal digeridos sinaliza que a função pancreática está comprometida e não secretou amilase em quantidade suficiente.

O mesmo com as gorduras. Normalmente elas não devem aparecer em grande quantidade nas fezes, mas quando isso acontece, demonstra que a secreção da lipase não foi bastante. A presença de sangue também é um indicador importante e quase sempre é sinal de lesão da parede intestinal, o que deve merecer bastante atenção.

Um grande aliado

O mineralograma é outro exame que pode ajudar no diagnóstico de alguns distúrbios intestinais, ainda que sua importância seja muito mais abrangente. Os minerais tóxicos ao organismo, como o alumínio, o chumbo e o mercúrio, aumentam mais nos tecidos do que no plasma sangüíneo. Por isso é mais eficiente dosá-los nos cabelos. Mesmo a dosagem de alguns minerais benéficos tem mais valor quando é feita nos tecidos.

Muita gente imagina que o mineralograma é um exame de última geração, talvez em função do seu custo, que de fato é um pouco alto. Mas isso não é verdade. O exame dos cabelos é antigo e há trabalhos publicados há mais de 30 anos sobre a importância do mineralograma. O que aconteceu é que este exame acabou sendo um pouco esquecido com a evolução das técnicas de diagnóstico.

Nos Estados Unidos, por exemplo, estão disponíveis testes específicos para cada um dos minerais tóxicos. Em Nova Orleans, onde se constatou que 10% das crianças apresentavam contaminação por chumbo, o que prejudica o rendimento escolar, elas fazem no início do ano letivo um exame bem simples, para verificar apenas o teor deste mineral, com uma gotinha de sangue tirada da ponta do dedo. Esse exame é obrigatório na cidade porque lá a contaminação com chumbo é comum. As casas de Nova Orleans possuem encanamentos muito antigos, que facilitam a contaminação.

Assim como aconteceu com o chumbo, foram inventados aparelhos e métodos específicos para a dosagem de cada mineral tóxico, fazendo com que a aplicação do mineralograma fosse diminuindo nos países mais desenvolvidos. Entretanto, em alguns casos, como na intoxicação por cocaína, ele ainda é o mais utilizado. Algumas universidades também continuam utilizando o mineralograma, como é o caso da Johns Hopkins, que desenvolve pesquisas sobre a deficiência dos oligoelementos, que são os minerais encontrados em pequena quantidade no organismo, como o selênio.

A grande verdade é que nos países mais avançados a contaminação por metais tóxicos está bem controlada, o que infelizmente não acontece no Brasil. Aqui ainda são utilizados agrotóxicos com metais pesados, assim como há pouca preocupação com o chumbo que ainda compõe algumas tintas de parede. Por isso, o mineralograma ainda é um exame de grande aplicação entre nós.

O problema é que este exame exige um alto grau de conhecimento sobre as relações dos minerais para que possa ser um bom auxiliar de diagnóstico. Há vários exemplos, mas utilizaremos o zinco, pela sua importância. Em alguns mineralogramas, o zinco pode aparecer aumentado, mas na verdade pode estar insuficiente. Isto porque a deficiência deste metal provoca a diminuição do ritmo de crescimento do cabelo, o que acarreta uma maior concentração dele. Assim, outros dados terão que ser cruzados para avaliar se há ou não falta do mineral.

Há poucos laboratórios que fazem mineralogramas no Brasil, sendo preciso recorrer aos laboratórios norte-americanos. E lá, como aqui, há laboratórios bons e laboratórios ruins, de nenhuma confiabilidade. Como considero esses exames muito importantes como auxiliares de diagnóstico, não abro mão deles e analiso as amostras de cabelos de meus pacientes em laboratórios sérios. Além disso, acrescento um controle de qualidade, enviando duas amostras da mesma pessoa com nomes diferentes. O resultado é sempre concordante.

Recentemente foi publicada no Brasil uma reportagem que denunciava falhas graves dos laboratórios de mineralogramas norte-americanos. Como a reportagem abordou apenas um lado da questão, deixando de citar os casos em que os mineralogramas são cruciais para a identificação ou confirmação de uma doença, é possível que ela tenha sido publicada para atingir algumas práticas exageradas que acontecem também no Brasil.

De fato, alguns médicos usam desmedidamente métodos de desintoxicação muito perigosos, além de absurdamente caros. O principal deles é a quelação, em que o paciente recebe substâncias para combater os metais tóxicos por via intravenosa. Embora seja útil em casos graves de intoxicação, este processo deve ser utilizado apenas em casos especiais e com permanente monitoração para que não haja destruição dos minerais essenciais. Outro problema é que a substância utilizada na quelação, o EDTA, é extremamente perigosa quando o paciente tem intoxicação por bismuto. Combinado com o EDTA, o bismuto pode penetrar no cérebro e causar insônia, ansiedade, depressão e outros problemas neurológicos e/ou psiquiátricos sérios. Tal fato vem sendo confirmado por diversos trabalhos recentes.

É verdade também que está havendo um certo abuso no que diz respeito à interpretação dos mineralogramas. Soube recentemente da existência de um *software* para analisá-los. Basta colocar os dados do exame no computador e imprimir a prescrição. Isso é um absurdo, que não leva em consideração o profundo conhecimento que o médico necessita para interpretar um mineralograma.

Em relação ao sistema gastrintestinal, o mineralograma é muito útil. O mercúrio, por exemplo, é um metal que provoca problemas não apenas no intestino, mas também no fígado, além de facilitar a hipertensão. O mercúrio também bloqueia a entrada da vitamina B_{12} no cérebro e por isso pode desencadear depressão e outros distúrbios psiquiátricos, em casos de intoxicação grave. Quem toma remédios chineses deve ficar atento à intoxicação por mercúrio e já foram feitos trabalhos sobre isso, inclusive. Na China, durante muitos anos se usava mercúrio na fórmula de alguns tônicos e até hoje certos remédios chineses contêm este metal.

O chumbo também afeta diretamente o intestino, prejudicando sua mucosa, mas os efeitos mais notados de intoxicação por esse metal são a queda da imunidade. Infecções repetidas, como a de garganta, podem ter origem na contaminação por chumbo. Isso se verifica principalmente nas crianças, que também podem apresentar dificuldade de aprendizado em função da presença deste metal.

O chumbo ainda compõe a fórmula de algumas tintas de parede no Brasil, o que é um absurdo. Nos Estados Unidos, não é mais permitido adicionar o metal a estas tintas desde 1980. Na Europa, a proibição ocorreu dez anos antes. Também é proibido nesses países cultivar plantações ou construir parques infantis sobre solo onde a quantidade de chumbo é maior que 500 mg/kg. Infelizmente, nenhum desses cuidados é tomado em nosso país.

Outro bom indicador da saúde do intestino é a ausência de alumínio no mineralograma. A importância desse mineral para o intestino é que ele não deve ser absorvido. Assim, quando aparece em alta quantidade no mineralograma, é sinal de aumento da permeabilidade intestinal. A prova da lactulose, utilizada para verificar a permeabilidade do intestino, confirma isso na grande maioria dos casos. Há várias conseqüências graves da intoxicação por alumínio para o organismo, como a descalcificação dos ossos, falhas de memória e doenças cerebrais, além de cansaço exagerado e muita ansiedade.

O grande risco do alumínio para o cérebro é que este mineral consegue se fixar nos receptores de NMDA sensíveis ao magnésio, que é fundamental para o funcionamento cerebral. Quando isso acontece, surgem as alterações de memória, que podem evoluir para doenças sérias. Pesquisas comprovaram que pacientes de Alzheimer têm alta concentração de alumínio no cérebro e também em outros órgãos.

Por isso sempre afirmo que não adianta apenas deixar de tomar antiácidos ou jogar fora as panelas de alumínio quando se quer evitar a intoxicação por esse metal. Embora esteja presente em praticamente todos os alimentos, o organismo não necessita de alumínio e por isso ele só é absorvido quando há aumento da permeabilidade do intestino. Está claro, portanto, que o mais importante é cuidar do intestino.

O arsênico é outro mineral nocivo, capaz de provocar muitos problemas gastrintestinais, mas hoje quase não acontece mais este tipo de intoxicação. No passado este metal era utilizado no preparo de vários remédios, como os usados para sífilis e também para leucemia. Felizmente esses medicamentos foram substituídos por outros mais modernos, que não utilizam mais o arsênico em suas fórmulas.

Ainda sobre os mineralogramas, outro mineral cuja dosagem vem sendo bastante valorizada atualmente é o silício, que está ligado à artrose. Pessoas com este e outros tipos de degeneração nas cartilagens têm tendência a apresentar níveis baixos de silício. O metabolismo do colágeno é influenciado por este mineral e o tecido conjuntivo da pele, dos ossos e do revestimento intestinal sofrem com sua deficiência. Por isso hoje são fabricados cremes faciais enriquecidos com silício.

Portanto, o mineralograma é um exame importante, pois apresenta informações muito valiosas e capazes de ajudar muito no diagnóstico dos problemas de saúde. O que falta é mais seriedade por parte de alguns profissionais, já que a interpretação de um mineralograma é complexa, compondo atualmente quase que uma especialidade dentro da medicina.

Elementos para uma saúde perfeita

Do momento em que colocamos o garfo na boca, tudo acontece a seu tempo, como numa perfeita linha de produção. Cada tipo de alimento que ingerimos será processado por enzimas específicas para que libere seus nutrientes, que nos servirão de combustível depois de absorvidos pelo intestino. Proteínas formarão todos os tipos de tecidos, gorduras e carboidratos serão usados como energia básica, vitaminas e minerais regularão o funcionamento do corpo.

Mas isso não é tudo e precisamos também de minerais e de fibras, que depois de devidamente "trabalhadas" pelas bactérias intestinais resultam em fezes com forma, consistência e freqüência saudáveis. Numa dieta sem fibras e à base de muitos produtos industrializados, o tempo de trânsito intestinal é de 48 horas, mas nas dietas ricas em fibras, esse tempo diminui para 30 horas. Ninguém deve esquecer que um período maior de trânsito intestinal significa um aumento perigoso do tempo de exposição da parede intestinal às substâncias tóxicas contidas nas fezes.

Entretanto, além de uma alimentação equilibrada, rica em fibras e alimentos antioxidantes, o funcionamento ótimo do sistema gastintestinal depende de três aspectos básicos: uma boa digestão, o cuidado com a permeabilidade da mucosa intestinal e a manutenção de uma flora equilibrada. Com esses atributos, intestino algum incomodará o seu dono.

Se tudo começa com a digestão, é claro que devemos cuidar de modo a fazê-la o melhor possível. Para quem nunca teve problemas digestivos, basta seguir as prescrições básicas: comer lentamente, de preferência sem ingestão de líquidos, e fazer uma boa mastigação, para que as enzimas contidas na saliva comecem a processar os carboidratos e as gorduras. Apesar da força destrutiva do suco gástrico, esses nutrientes praticamente não são processados no estômago, mas sim quando chegam ao duodeno, sob a ação das enzimas contidas na secreção pancreática.

É por isso que mastigar pouco os alimentos não é nada bom, pois fará com que o duodeno tenha que trabalhar dobrado, recrutando mais secreção do pâncreas para que as gorduras e carboidratos estejam prontos para serem finalmente absorvidos.

É preciso também que a digestão aconteça num ambiente de tranqüilidade. Fazer as refeições em ambientes tumultuados, pensando em acabar de comer o mais rápido possível, é uma boa forma de provocar problemas digestivos. Comer com pressa, inclusive, é uma causa importante da formação de gases. Quem já tem problemas deste tipo, deve ter ainda mais cuidado em comer vagarosamente e em pequenas quantidades por vez. Principalmente quando estão no prato os clássicos alimentos provocadores de gases, como o repolho, a couve-flor e os feijões, que formam no intestino um tipo de açúcar que é mal digerido pela maioria das pessoas.

Outra recomendação para quem tem gases com mais freqüência que gostaria é cortar de vez os líquidos às refeições, principalmente os gaseificados. Também é importante fazer exercícios e evitar goma de mascar, fumo, balas mastigáveis. Sucos de frutas industrializados e adoçados com sorbitol também provocam gases em excesso, quando não diarréias do tipo osmótica.

Evitando a má digestão

O avanço da idade por si só já é um complicador dos processos digestivos. Mas, além do problema da má ingestão de minerais, que já vimos, algumas doenças também podem comprometer seriamente a digestão. O diabetes, por exemplo, provoca a deficiência de ácido clorídrico e de secreção pancreática. Pessoas que consomem muitas bebidas alcoólicas também costumam apresentar problemas no pâncreas, que dificultam a secreção de suas enzimas.

Em todos esses casos, gosto muito de utilizar digestivos naturais, extraídos principalmente das frutas que, aliás, são as melhores sobremesas que existem, em qualquer idade. A papaína do mamão e a bromelina, extraída do abacaxi, são excelentes enzimas para melhorar a função intestinal e, por serem naturais, não têm contra-indicações.

Há também os casos em que acontece o excesso de acidez estomacal, que é igualmente prejudicial para a digestão. Nesses casos, a solução nem sempre é simples, pois muita gente tem excesso de acidez justamente por tomar antiácidos em excesso. Atualmente, é fácil encontrar pessoas jovens e sem quaisquer doenças que convivem com excesso de acidez gástrica porque abusam dos antiácidos.

O que acontece é a instalação de um ciclo vicioso. Os antiácidos de fato diminuem o ácido clorídrico e baixam a acidez do ambiente estomacal. Mas o organismo precisa do ácido clorídrico para digerir os alimentos e, em resposta aos antiácidos, aumenta a formação de gastrina, que vai ativar a formação do ácido clorídrico.

Além do risco das úlceras, o excesso de antiácidos pode interferir na produção de algumas substâncias importantes. Assim como alguns calmantes, dois antiácidos potentes, a cimetidina e a ranitidina, são ativadores da produção do hormônio prolactina, responsável na mulher pela lactação. Muita prolactina pode suspender a menstruação e causar a galactorréia, que é a secreção de leite pela mama. Pode também causar a impotência em alguns casos nos homens.

Por isso não é recomendável partir logo para os antiácidos ao primeiro sinal de aumento de acidez estomacal. É muito melhor prevenir o problema cuidando da alimentação, evitando excesso de maionese, manteiga, creme de leite e todo tipo de comidas gordurosas. Bebidas gaseificadas e aquelas que contêm cafeína, como mate, chá preto e bebidas à base de cola, também devem ficar fora do cardápio. É muito melhor vencer o excesso de acidez através da dieta e, quando necessário, com a ajuda de antioxidantes naturais.

Problemas de má digestão também podem causar as alergias e as intolerâncias alimentares, com todo o rol de conseqüências desagradáveis que já conhecemos. E nas questões do humor, a digestão é um componente importante, como verificamos quando conhecemos o processo de formação da serotonina.

Deve-se estar atento ainda para o fato de que os problemas digestivos também podem acontecer em função das emoções, principalmente quando se tem o esfíncter de Oddi muito sensível. O excesso de adrenalina provocado por uma emoção muito forte pode ocasionar um espasmo neste anel muscular, cuja função é regular a entrada da secreção pancreática e da bile para o duodeno. Com isso, a digestão se torna difícil e em muitos casos acontece a prisão de ventre.

A cerveja também pode aumentar a sensibilidade do esfíncter de Oddi. Isso é perigoso, pois impede a saída das enzimas digestivas do pâncreas, que acabam se misturando com a bile. Muito ativas, essas enzimas começam a fazer a digestão na cabeça do pâncreas. Num primeiro momento pode acontecer a pancreatite, depois diabetes e por fim há o risco de câncer de pâncreas. O risco torna-se ainda maior quando a cerveja é acompanhada de gorduras, que ativam a secreção da bile.

Cuidando da mucosa

Atualmente é muito comum que as pessoas tenham a permeabilidade intestinal aumentada, pois são muitos os agentes que podem fazer com que isso aconteça. Até mesmo o consumo excessivo de café e álcool é capaz de irritar o intestino e, com o tempo, prejudicar o poder de adesão das células que formam a mucosa intestinal.

A alergia alimentar e o aumento da permeabilidade intestinal atuam de forma bastante sinérgica e um é causado pelo outro, como sabemos. Por isso existem várias substâncias benéficas para a alergia alimentar que também funcionam muito bem para a correção da permeabilidade intestinal, e vice-versa. Em ambos os distúrbios, é fundamental tratar da mucosa intestinal, fazendo com que a capacidade de absorção de suas vilosidades seja recuperada.

São inúmeras as pesquisas científicas recentes que apontam substâncias para tratar da permeabilidade do intestino. Um exemplo é o hormônio de crescimento, ou IGF. Cientistas estão relacionando o aumento da permeabilidade do intestino à diminuição do IGF local. Já foi verificado que a glutamina, muito utilizada para corrigir o aumento da permeabilidade do intestino, que na verdade é conseqüência de uma lesão nessas células, aumenta muito a formação de IGF local, provocando uma regeneração nas vilosidades intestinais.

Ultimamente já estão sendo utilizadas fórmulas para correção da permeabilidade intestinal que combinam a glutamina e a arginina, um outro aminoácido que, além de aumentar a formação do IGF, atuaria na formação local de óxido nítrico, que ajuda a melhorar a função intestinal. No ambulatório que fundei há cerca de 12 anos, onde pacientes com Aids são atendidos gratuitamente, tenho obtido ótimos resultados com o uso da arginina e glutamina.

De vez em quando tenho notícias de um paciente de Aids que tratei e que foi um dos primeiros a desenvolver a doença no Brasil. Atualmente ele mora fora do país e está muito bem. Lembro que um dos seus maiores problemas antes do advento dos coquetéis de drogas eram as constantes diarréias, que, aliás, é um problema sério em grande parte dos pacientes da doença. Alberto toma muita arginina e glutamina e está com a sua doença bem controlada, levando uma vida normal.

A glucosamina é outra substância indicada para a melhora da mucosa intestinal. Ela existe debaixo da pele, nos ossos, nas cartilagens e também no revestimento do intestino. É excelente para melhorar a permeabilidade do órgão, pois aumenta a formação do tecido que funciona como um cimento das células intestinais. São importantes também substâncias que têm ação antialérgica alimentar, como o glutatião, pouco presente nos alimentos e formado no organismo a partir do ácido lipóico, uma vitamina do complexo B. A quercetina também é excelente para a mucosa do intestino, por sua ação antialérgica.

Acredita-se ainda que a melatonina também atua positivamente sobre a mucosa intestinal e que sua ação seja semelhante à do óxido nítrico. E como também é um potente antioxidante, a melatonina evitaria a formação do perigoso peroxinitrito na mucosa intestinal.

Doses extras de antioxidantes sempre melhoram a *performance* intestinal porque essas substâncias combatem a formação excessiva dos radicais livres no organismo. Por um caminho ou por outro, são esses radicais os nossos principais agentes de degeneração. Por isso considero fundamental hoje uma boa quantidade de vitaminas e minerais, principalmente em função da vida estressante que levamos e da nossa alimentação deficiente.

Embora não tão acalorada como antes, a discussão sobre a validade de doses extras de antioxidantes ainda persiste. Mas os que afirmam ser a alimentação uma fonte suficiente de vitaminas e minerais esquecem que os alimentos chegam a nós com uma fração bem menor de nutrientes, devido ao tempo de colheita dos vegetais e ao beneficiamento dos grãos. Isso sem falar da complexa questão dos agrotóxicos.

A verdade é que temos muito mais agentes agressores hoje do que algumas décadas atrás, não apenas no que diz respeito ao que comemos, mas também sobre o estilo de vida moderno. Por isso considero os antioxidantes fundamentais para promover o reequilíbrio químico do organismo e por isso sempre os recomendo.

Há muitos interesses escondidos atrás das campanhas contra essas substâncias e por isso vez por outra surgem nos jornais "pesquisas" alarmantes sobre o uso da vitamina C ou da vitamina E. Para os grandes laboratórios, todo esforço é válido no sentido de induzir as pessoas a abandonarem as simples vitaminas e minerais para usarem os novos remédios de patentes milionárias lançados no mercado, que muitas vezes produzem o mesmo efeito do que a vitamina C ou outro antioxidante.

Este não é um problema novo e um bom exemplo é o ácido acetilsalicílico, a aspirina, muito indicado para quem tem problemas de coração por inibir a obstrução dos vasos. De fato, o remédio provoca a baixa de adesividade das plaquetas, mas os antioxidantes também fazem isso, com a vantagem de não provocarem hemorragias, como faz o ácido acetilsalicílico, que é também um poderoso antioxidante. Quem toma boas doses de vitaminas está protegendo bem a saúde vascular, além dos outros benefícios recorrentes do combate ao excesso de radicais livres.

Preservando os microorganismos úteis

A flora intestinal também deve ser preservada e isso seria bem mais simples com a adoção de uma dieta equilibrada e boas doses de lactobacilos. Nos casos de proliferação da cândida, que com certeza são os microorganismos mais comuns, é preciso tomar atitudes sérias em relação à ingestão de açúcar. Se não for possível cortá-lo completamente da dieta, deve-se pelo menos diminuir muito seu consumo. Também é importante evitar bebidas alcoólicas, principalmente as que são feitas à base de levedo, como a cerveja. Quem tem alergia à cândida pode ter alergia a cogumelos também.

Existem alguns tratamentos para a cândida que prevêem a administração de antibióticos, mas eles não vão funcionar sozinhos. Dar antibiótico isoladamente para matar a cândida é inútil, pois se as condições do intestino são favoráveis à sua colonização, logo haverá uma outra oportunidade de infecção e a cândida novamente vai proliferar e provocar uma disbiose.

A silimarina é um antioxidante que recomendo para quem tem problemas com a cândida, justamente para evitar distúrbios hepáticos, já que se trata de um antioxidante muito potente para a proteção do fígado. Mas é claro que nenhum tratamento para cândida pode prescindir de boas doses de lactobacilos, que são as bactérias de ação antagônica a esse microorganismo.

Quanto à prática tão disseminada de tomar vitaminas do complexo B após doses altas de antibióticos, esta não leva em conta o fato de que são as bactérias da flora intestinal os grandes sintetizadores dessas vitaminas. É claro que tomar as vitaminas não fará mal algum, mas elas sozinhas não vão resolver o problema. As vitaminas do complexo B, assim como a vitamina K, provêm da alimentação e do trabalho dos microorganismos intestinais e por isso o melhor que temos a fazer para reabastecer o organismo dessas vitaminas após o uso de antibióticos é aumentar no intestino o número de bactérias benéficas.

É uma pena que os lactobacilos tenham se transformado em um artigo de luxo entre nós, acessível apenas para quem pode pagar altos preços por eles. Tenho certeza de que muitos problemas intestinais, que podem atingir toda a saúde, poderiam ser evitados com o uso preventivo deles.

18

O QUE ESPERAR DO FUTURO

A história da medicina vem sendo escrita sobre erros e acertos, com a superação de conceitos antigos e surgimento de novos conhecimentos. Algumas pistas que hoje nos parecem muito promissoras para a explicação de uma doença correm o risco de ser completamente esquecidas amanhã. Da mesma forma, um pequeno fenômeno subestimado na época de sua descoberta pode se tornar no futuro a evidência que faltava para a confirmação de uma tese revolucionária.

Os estudos sobre os hormônios do eixo cérebro-intestinal estão ainda em desenvolvimento e poucos são os trabalhos conclusivos. Essa é, inclusive, uma característica da ciência. Cada novo conhecimento adquirido abre inúmeras outras possibilidades de pesquisa. Ainda assim, os dados que vêm sendo revelados recentemente sobre o sistema gastrintestinal já são suficientes para sustentar uma grande mudança de paradigma na medicina ocidental.

Cada vez fica mais evidente que o intestino é o nosso órgão central, o grande mantenedor da nossa saúde. Quando se melhora a função intestinal, tudo melhora. Viver mais e melhor será possível quando mudarmos nossa postura diante dos alimentos e prestarmos mais atenção no que se passa com o nosso órgão maior de absorção.

Saúde de verdade, capaz de garantir a qualidade de toda uma vida, é um bem perfeitamente acessível, e a ciência vem nos mostrando claramente que o intestino é o melhor termômetro com que podemos contar para saber se estamos ou não no caminho certo. Cuidando melhor do sistema gastrintestinal, melhoramos nosso sistema imunológico, retardamos os sinais do envelhecimento e vivemos com mais bom humor e disposição.

É curioso notar que, entre todos os órgãos do nosso corpo, o intestino é o que permite uma maior interação. Através da observação de suas reações, podemos perfeitamente perceber o que nos faz bem ou não. Pena que grande parte das pessoas esteja voltada apenas para os aspectos externos do corpo, esquecendo que as funções básicas também precisam de atenção para que possam ser mantidas sempre em equilíbrio saudável.

É muito interessante perceber que as pesquisas contemporâneas envolvendo o sistema gastrintestinal representam muito mais que promessas de novas estratégias de cura para as doenças. Essas pesquisas são uma nova forma de pensar a saúde, a partir do conhecimento claro de como tudo acontece no nosso organismo.

Sabemos o quanto é difícil hoje nos abstermos completamente de comidas e bebidas pouco ou nada saudáveis, principalmente quando é preciso fazer as refeições na rua. É como acontece com o nosso estilo de vida. Ninguém mais pode se dar ao luxo de deixar de usar o forno de microondas ou o telefone celular, que aumentam a formação dos radicais livres no organismo. A tecnologia que conquistamos veio para ficar, não há volta.

Por isso a dieta saudável, receita básica para a saúde, deve ser temperada com bom senso. Procurar sempre o melhor quando se seleciona os alimentos que levamos para a mesa, não esquecer de preservar a flora intestinal benéfica tomando lactobacilos e reforçar a nutrição do organismo com vitaminas, minerais e demais substâncias antioxidantes.

No Brasil, muitas dessas substâncias ainda lutam para serem aceitas pelas autoridades sanitárias, a despeito do fato de a comunidade científica internacional já tê-las acolhido como grandes aliados da medicina. É uma pena, pois tanto os lactobacilos como os antioxidantes poderiam beneficiar democraticamente a todos que querem viver com mais saúde.

No futuro, acredito que muitas dessas distorções serão corrigidas, e todos nós, brasileiros, teremos acesso a informações que nos ajudarão a responder a todas as agressões que nosso organismo vem suportando. E para isso acredito que serão da maior importância os dados que vêm sendo descobertos sobre hormônios do eixo cérebro-intestinal. A maioria deles ainda não pode ser sintetizada em laboratório, pois são pouco estáveis, e os custos desses procedimentos são altíssimos. Mas é apenas uma questão de tempo.

Enquanto isso, e até mesmo quando pudermos contar com esses hormônios para corrigir distúrbios em nossa saúde, a alimentação continua a ser fundamental. Agora ou no futuro, cada pessoa deve procurar conhecer bem as necessidades e o ritmo do seu corpo, respeitá-lo e resgatar a boa alimentação, fugindo do caos em que se transformou hoje a escolha dos alimentos.

Várias sociedades espalhadas pelo mundo atestam o valor de uma dieta equilibrada, mas nenhum povo exemplifica tão bem a importância dos alimentos como os chineses. Apesar de possuir um serviço público de saúde ainda muito deficiente, o povo chinês apresenta índices de saúde muito melhores do que os ocidentais justamente porque adotam uma alimentação extremamente saudável. O que os vegetais propiciam à saúde das chinesas, que não precisam fazer reposição hormonal, é fabuloso!

Por fim, quando analisamos o fato de que o intestino é fundamental na formação da serotonina, nada mais é preciso acrescentar. A alegria, a inteligência emocional de que tanto precisamos para viver bem começam realmente a partir do intestino! Por isso só nos resta garantir a este fantástico órgão matérias-primas de primeira qualidade, o que conseguimos com uma alimentação saudável. Ele, inteligentemente, se encarregará de garantir nossa saúde e nossa felicidade.

A CHAVE DA LONGEVIDADE

O primeiro livro de medicina ortomolecular do Dr. Helion Póvoa para leigos. Numa linguagem clara e direta, ele expõe as bases deste novo conceito de saúde: a prevenção de doenças pela correção química do organismo. Através de relatos clínicos, o leitor vai saber como combater estresse, obesidade, falta de memória, depressão e outros males que afetam o nosso dia-a-dia.

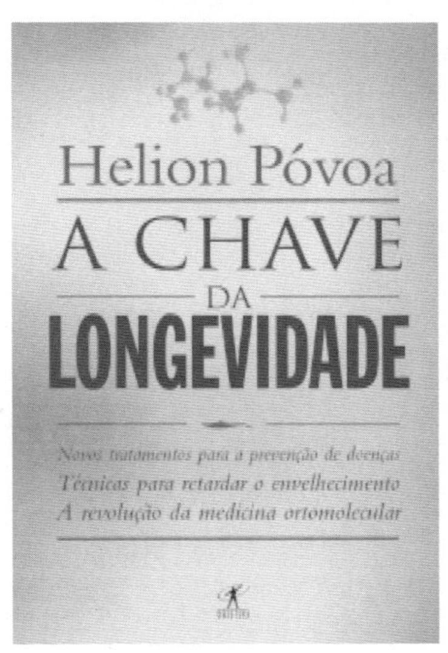

O leitor vai poder acompanhar casos clínicos, compreenderá as noções básicas deste tipo de tratamento e saberá como e por que o nosso organismo produz o grande inimigo da longevidade: o radical livre – 300 págs.

1ª EDIÇÃO [2002] 33 reimpressões

ESTA OBRA FOI COMPOSTA PELA ABREU'S SYSTEM EM ADOBE GARAMOND
E IMPRESSA EM OFSETE PELA LIS GRÁFICA SOBRE PAPEL PÓLEN DA
SUZANO S.A. PARA A EDITORA SCHWARCZ EM MAIO DE 2024

A marca FSC® é a garantia de que a madeira utilizada na fabricação do papel deste livro provém de florestas que foram gerenciadas de maneira ambientalmente correta, socialmente justa e economicamente viável, além de outras fontes de origem controlada.